劉福春・李怡 主編

民國文學珍稀文獻集成

第二輯

新詩舊集影印叢編　第83冊

【李金髮卷】

異國情調

重慶：商務印書館 1942 年 12 月重慶初版
上海：商務印書館 1946 年 3 月上海初版

李金髮　著

花木蘭文化事業有限公司

國家圖書館出版品預行編目資料

異國情調／李金髮　著 — 初版 — 新北市：花木蘭文化事業有限公司，

2017〔民 106〕

182 面；19×26 公分

（民國文學珍稀文獻集成．第二輯．新詩舊集影印叢編　第 83 冊）

ISBN 978-986-485-151-5（套書精裝）

831.8　　　106013764

ISBN-978-986-485-151-5

民國文學珍稀文獻集成．第二輯．新詩舊集影印叢編（51-85 冊）

第 83 冊

異國情調

著　　者　李金髮

主　　編　劉福春、李怡

企　　劃　首都師範大學中國詩歌研究中心
北京師範大學民國歷史文化與文學研究中心
（臺灣）政治大學民國歷史文化與文學研究中心

總 編 輯　杜潔祥

副總編輯　楊嘉樂

編　　輯　許郁翎、王筑　美術編輯　陳逸婷

出　　版　花木蘭文化事業有限公司

社　　長　高小娟

聯絡地址　235 新北市中和區中安街七二號十三樓
電話：02-2923-1455／傳眞：02-2923-1452

網　　址　http://www.huamulan.tw　信箱　hml 810518@gmail.com

印　　刷　普羅文化出版廣告事業

初　　版　2017 年 9 月

定　　價　第二輯 51-85 冊（精裝）新台幣 88,000 元

異國情調

李金髮 著

商務印書館（重慶）一九四二年十二月初版，
商務印書館（上海）一九四六年三月初版。
原書三十二開。

李金髮著
異國情調
商務印書館印行

異國情調

李金髮著

商務印書館印行

卷頭語

記得自民國二十一年以後，就沒有再出版什麼詩文集，自己也不知是什麼緣故。雖然也寫了不少詩及論文，散載於各報紙雜誌，有幾次想把牠們出專集，但人事紛繁，終於沒有實現。除一本詩稿還在未淪陷的家鄉外，其餘的文章，全丟在廣州。現在因為朋友的敦促，才把一年來在韶關所寫的文章，集成一册，在陪都的文壇湊湊熱鬧而已。象徵派詩出風頭的時代已過去，自己亦沒有以前寫詩的興趣了，姑存此幾首，聊作紀念而已。

李金髮誌　三十一年十一月頂巖

目次

異國情調

論述

一　二十年來的藝術運動

一　前奏

辛亥革命以後，雖然民族的意識，已灌注到大部份羣衆層裏，但一般士大夫猶囚封建文化的麻醉，民族的活力，受了壓制，於是民族文化遂陷於衰落萎靡，使民衆如冬眠初與的昆蟲，陷於昏迷不靈的狀態，原因是受過不人道不科學，急功好利，苟且偸安的生活，科舉的圈套，使士大夫永遠在裏邊翻筋斗，無人不想得一官半爵，有做奴才的機會，好去鞠躬盡瘁。

一面懾於鴉片之戰，中日之戰，八國聯軍之教訓，民族失了自信力，不敢再唯我獨尊；一面受帝制餘孽的播弄，軍閥的割據，政治的壓抑，人民生活，動蕩不定，失了重心，新的道德準繩尚未成立，學術思想，亦未有比較澈底的改造，故整個民族，徬徨中途，故在此時期的文化，無所表現及建樹。

五四運動，好像春雷一響，萬蟄皆甦，由文字的改革，引到一切學術思想，甚至整個民族文化得到啓蒙期的革新，與歐化，我在此不欲敍述文化各部門的動態之過程，只企圖檢討反映時代的二十年來藝術運動。

二　西方藝術的傳入

中國藝術向重神似，及想像，但有時亦非不想寫實，如誇讚趙子昂畫馬生動，并常歸功於趙能自己爬地作立馬的形態，來作模型，其實人形與馬體，絕對特殊，斷不能作爲參考。故其欲寫實而無方法可知了。自從郎士寧在清宮作畫，其技術之精巧，才使得中國人驚奇而生效法的傾向。

日本維新以後，全盤模仿歐美文化，其繪畫當然也受西方技術的影響，而漸次離開漢畫的風格。國人最早到東洋去學習的有高奇峯、高劍父、陳樹人、（後來稱爲嶺南三傑）江新等，最有成就的，當算高氏兄弟，自號其畫派爲折衷派，造詣甚深，各創辦有嶺南畫苑，及春睡畫苑，生徒甚多，遍佈全國各地，可惜高奇峯多病，未到五十歲即死，其作品並不多。最初留學法國研究油畫的，有李超士、范淹、吳夢非，後來吳范皆學未成而病死在法國，李則回國掌教十餘年，他似擅長粉筆肖像。那時社會人士，對於留學而不從事聲、光、電、化之業，而學雕蟲小技的美術，有些驚異，一般人對於油畫的概念，只由於薛福成巴黎遊記；對於雕刻的概念，係由於新青年所介紹羅丹勞工神聖「思想者」，此外對於希臘羅馬藝術之豐富，及文藝復興等運動，尚無所聞能。此時之從事美術者，皆無藝術創造之衝動，只當爲謀生的新奇技術，迨後陸續到法國從事雕刻，建築的，有劉既漂、方君璧、徐悲鴻、張道藩、林風眠、吳大羽、陳宏、李宗侃、汪申、江小鶼（即江新），這些人中最有成就的是方君璧及徐悲鴻。然各人皆只知着重於個人技術的訓練，而缺乏介紹能力，並不曾將各部門的人力，聯成一氣，造成一個新興藝術的主潮，這是初期藝術運動失敗，以後這一部門，不能在民族文化上有卓越的建樹、大原因。此外由文化領導者的忽視，使從事藝術的一般人，失卻生活的保障，不能不因此停頓其所努力的部門。而從事他業，此是國家的損失，時機的錯過，那時唯一的訓練美術人才的地方，是劉海粟與張聿光所辦的美術學院，當然以營利爲目的，規模十分簡陋，所有師資已非有深造的英才，學生亦不過想得一張可以謀生的文憑，但因畢業的容易與大量，對於啓蒙的功效是有的。此外尚有中華、上海、新華等學院，規模更自檜以下了。那時北平之藝術學校，雖成立了好久，但已成爲新舊藝術人啖飯必爭之地，風潮不斷的發生，於是學生的成就受到極大的影響，那時有過幾次天馬會，晨光會的展覽，略具美展的雛形，無可敍述。

三　大學院時代及以後的藝術運動

蔡孑民先生是國內學者中最了解藝術的人，他的以美育代宗教的言論，已在北大做校長時代，風動全國，到民十七年他做大學院長的時候，就毅然以鉅大的經費，創辦一國立藝術院於杭州，後因學制關係，改稱爲專科學校，因學年的延長，學生習作有顯著的進展，雕刻及圖案也從此獨成一系，同時他組織全國藝術教育委員會，可惜藝術院成立後，因某種原因，卽無形消滅了。音樂院也在上海成立了，舉辦第一次全國美術展覽會，雖然是民元南京勸業以後的創舉，成績并不驚人，不足與什麼「沙龍」「帝展」爭一日之長，但已轉移風氣不少，那時畫人亦漸多了，然皆沒有組織，沒有中心思想，無時代意識，沒有力量來表現出大時代的側影，只以藝術的技巧，奔走於權貴之門，作爲個人的出處的武器。此時可以紀載一筆的，是梁鼎銘之大規模的戰爭壁畫，雖未到盡美盡善的境地，然已爲吾國近代壁畫之創舉。

民十七年，商務印書館出版之美育，大量介紹西洋美術思潮，頗能激動一般青年之愛美思想，其作品其印刷之精良，現在變爲「廣陵散」了。以後美術雜誌雖多，但皆無系統或短命。

話劇運動，創始於田漢創辦之南國劇社，雖然上演過不少次數，但人材缺乏，終不能得到社會的尊崇，但自五四至那時，十年來西洋名劇，如易卜生，蕭伯納，梅得林的劇本，都大部份翻譯過來，顯然的影響到抗戰前後戲劇運動蓬勃現象之遠因。

民二十六年南京會再度舉行第二次全國美術展覽會，雖與上次的展覽會相隔九年，但技術上幷不見進步，一部份新派作風，充滿幼稚病，失卻觀衆同情，也沒有什麼偉大的作品，足使我們稱讚，原因是現代的社會環境與物質的條件，不容許西洋畫作家有從容創作的心情，甚至捨棄可愛的藝壇，投向實際行動的革命狂流中去，但我們文化領導者：對於這個可貴的收穫的喪失，是很明顯的無視了。圖畫方面，雖然嶺南派後起的如趙少昂、何漆園、容大塊、黃少強、葉永青、黎雄才、方人定等，能自成一家，造成新興圖畫之主潮，成爲大部份民衆之愛物，但那時學院派勢力，因適合舊社會的傳統賞鑑力，也不曾落後，如齊白石，王一亭，張大千，李鳳公等，雖不曾有新的作風，亦還能得到社會上一部份人的捧場，同時因爲西洋畫成就的脆弱，無能減少社會忽視它的心理，反使之傾心於國畫的欣賞。

値得一筆紀載的，是民國十年左右，廣州曾創辦過一個市立美術學校，因爲規模很小，辦理又不善，雖曾有十五年的生命，並不曾有顯著的成績，我在那裏負責了二年，差堪自慰的，是造成許多分佈在各戰區，各戰場上的不成熟的執筆戰士而已。

西洋立體藝術——雕刻——國人以前不甚了解，當民十四年，我回國時，說起雕刻這名詞，人們都誤爲是刻圖章，後來因爲做　國父的模型，及漸次作文字的宣傳，已漸有了解和重視，陸續到法、比、意、美各國去或在國內專門此業的，已有不少的人，據記憶所及，有梁竹亭、李靄乙、張充仁、陳錫鈞、江小鶼、王靜遠（女）、滕白也、梅與天、劉開渠、汪浪萍、王子雲、張伯宗、鄭可、岳崙等：陳得位、曾新泉、那時因西洋風尚的東漸，我們也造銅像來紀念豐功偉績的人，計十五年中，由政府撥款建造的，有總理陵園二石像（一爲法人郎多夫斯奇造，一爲捷克人高奇造），一值二十萬元，一值四五萬元云。漢口　國父像，總裁像，黃興像，大上海區　國父像，廣州鈕廷芳像，鄧仲元像，史堅如石像（意大利人造），程璧光像（德人造），杭州陳其美像，陣亡將士紀念像，蚌埠馬祥斌像，石牌及黃埔的　國父銅像，是　國父友人梅屋捐贈的，我們已知道不用八角亭牌坊去表現所景仰的人的尊敬心，這於新興藝術運動，加了些少助力。二十三年，南京市黨部，忽然發起鑄造　國父的銅像，規模相當的大，使得所有從事雕刻的人，都躍躍欲試。因爲主持的人無能，沒有應付的決定，遂取比賽的辦法，日子到了，不期而集於首都的「專家」十餘人，（但有些還是鑄銅匠，有些是石膏匠）評定時請了五個院長及　國父家屬黨部，來參加意見，確實轟動了一時，但是沒有結果，只好當爲初試，選出五人，預備複審及複賽，結果雖失敗，樂得一個空名，　國父銅像沒有矗立在新街口廣場上，只留下一般藝人無可告訴的不平之氣，這個運動，影響人們對於立體藝術的印象最大了。

四　藝術於抗戰之功用

藝術在戰爭上宣傳的效能的偉大，已顯著在北伐時期，但那時只知道以繪畫作宣傳的工具，不像現在所有藝術的各部門，如音樂、繪畫、戲劇、舞蹈，都有具體的雛形的表現，但這些好像只着重實施到後方的民衆中，而忽略向直接鬥爭的戰士的暗示，我們須知，戰士固然需要明瞭自己的使命的重大，愛國思想的濃厚，但我們也得以藝術鼓起其向前衝殺的勇氣。

戰國時打仗，已知道用音樂來激勵戰士的效用，有所謂一鼓作氣，再而衰，三而竭。現在的軍樂，好像只在使用在步伐齊整與美觀上，在衝鋒陷陣時，只聽見毀滅的砲聲的怒吼，我想將來一定有人發明使用無線電，在戰場上廣播刺激的音樂或國歌，以鼓勵戰士。即野蠻民族中，也知道以音樂舞蹈去灌輸勇氣的方法。因為刺激於拚着性命去戰鬥的人，是絕對的重要，這個能克服恐怖心理，使之忘記死和危險，殺人這種工作，即使完全缺乏危險的要素，譬如去殺失去戰鬥力的敵人，即野蠻人，也做不到，衝殺的時候，人像入於一種狂熱狀態，會因為見着血腥或者征服的誇耀心，或同仇敵愾的觀念而發生，但沒有刺激，仍是不會發生這種殘酷性的。

在某種野蠻民族中，有以挖吃敵人的心臟及生血（所謂渴飲仇奴血），或吃剛殺死的雄牛的牛肉，使兵士鼓起勇氣，去拚命的，但其效力仍不及音樂（戰歌）與暗示殺人的舞蹈之大，在作戰時，以一種宗教或某種邪教的記號，繪在旗幟上，便會在軍隊中間，喚起某一種幻象，而鼓起其勇氣。日本士兵身上多有神符，也是這種作用，但我們則各種東西都不會注意使用。

在野蠻社會中，時常用繪畫雕刻裝飾，甚至毀壞自己身體，去作恐嚇敵人的方法，也有把自己身體，塗成血一樣的赤色，黑色，或者可怖的色澤，來恐嚇敵人，他們的盾，畫上魔鬼似的人面，長牙蓬髮，上邊閃着發光的眼睛，卽使我們現在在博物院中看見，猶覺得可怖，這種恐怖藝術，現在德國人的嘯聲彈，就是同樣的作用，我以爲假如用一種可怖或兇惡的放音機，在戰場上以恐怖敵人，也一定可以生效，這只待誰去發明就是。

五　今後藝術運動之路

二十年來藝術運動，算來全無計劃，系統，只是文化大海的一陣微波，西方繪畫技巧傳播東方，東西方文化的交流，也不會產生甚麼影響，或產生新的作風，或甚麼可以驕人的傑作，只做了一切文化運動的尾巴而已。但是自從抗戰發生以後，幼稚的藝術家，也得權作戰士，最爲人忽視的美術學生，也抬頭，也得到工作奮鬥的崗位，但這些宣傳畫、歌詠、戲劇、表演，只可以看作社會一時的需要，要政府沒有眞正對於藝術的重視，如其他文明國家，提出整個計劃來推進，則亦會如曇花一現，留下不足紀錄的歷史痕跡，若要繼續我們祖先的光榮，我們得下整理工夫，接受外來的技術，以創造新的藝術，樹立復興民族之基礎，我的意思，政府須卽辦下列各事業。

(1)恢復民十七年，大學院時代之全國藝術教育委員會，這個會，可領導全國之文藝運動，各省設分會，以比較充實之經費，辦理各項文藝事業，勿如從前一樣，空有其名，沒有實際力量，所謂藝術教育，當然是普遍的在中小學當中，增加藝術的科目，如講解本國及西洋的美術史，藝術理論及習作，慢慢的就可以增進國民的審美思想，不會生活蠻野無文，影響整個文化。這樣就關涉到師資問題，因爲現在中小學校的美術教師，實在缺乏，即有亦勉強應付；其效果當然可想而知。二十年來，全國無數中學校，只靠上海美專及西湖藝專畢業的學生去充數，當然不夠，這樣就是我們的藝術教育現象。

（2）多設美術專門學校。欲培養高深的藝術技術人才，當然要多辦藝術專門學校，但我們現在整個國家，只有一個國立藝術專科學校，及音樂學校，和各有小規模的美術學校二三間而已。其他如建築、舞蹈、工藝、藝術、就沒有人提及，這些都是歐西文明國家必有的文化學術，我們對這名字則生疏了。

我以爲全國至少要設立國立藝術學院五六所，（法國這樣小的國家，亦有國立藝術學校六間，故法國歷代都產生藝術天才，光耀在世界藝壇）必需具備中西繪畫、雕刻、建築、音樂、舞蹈、戲劇、圖案、電影、工藝美術等科，教授則多多聘請有名的外國作家來講授，老實說，本國人有基本技術者少，着重於學生的基本修養，國畫亦應設立專系研究整理，這樣中西技術融合之後，不難產生嶄新的新藝術。每省亦須辦一所藝術專科學校，以期養成中等學校之師資，漸漸的就可以提高藝術製作的水準，現在一般宣傳畫，成熟的很少，因爲人才缺乏，致中學生或未畢業的美術學校二三年級學生，亦爲基本的人員，所以壁畫及木刻極端幼稚，這是我們國度裏的藝術水準，我們不能無視，讓他這樣發展下去。

（3）每年舉行國家美術展覽會。這個會作爲每年作品的總檢討，國家備一大宗款項，購買優秀的作品，藏之於美術博物館，這樣不獨可以鼓勵作家努力創作，且可使作家生活安定，安心工作，不致因生活的壓迫而改業，這樣的風氣一成，自然有一種蓬勃之氣象，我們知道英國每年有皇家美展，日本有帝展，德國，意國，美國也每年有美展，最著名的，算是法國春，秋，冬各季的美展，春季兩覽會，規模比較大，經過審判員選出來的作品，約有三千點，但落選的亦差不多有三千，故新進作家，皆以能入選爲榮，因爲有了這資格，就可以從容發展，我國人入選始於一九二二年我和林風眠的作品，以後每年有去參加與否就不甚知道，有的回來說，得過什麼獎，不一定是事實，但政府與個人都不注意它，巴黎之所以成爲美術之都，也全是這些美展的功效，按春季美展比較守舊，秋，冬兩個美展比較多新派的作品，雖作風主義不同，但各有其地盤，不妨並立，所有歷史上不朽的名作家，那一個不是這裏奮鬥出來的，我們至少於三年之內，將全國美展的精華，運到各國去展覽，宣揚我國的新文化，當然國際地位因之增高，也是於世界文化的貢獻。

（4）籌辦國家美術陳列院。我們除了北平故宮，以前保留過一些古物美術品之外，國內沒有什麼美術院，但這些古物，先經易培基盜竊，佳品全落於外人之私藏室，或博物館，現在又作了敵人的補充資料了。（聽說好的作品，已運存外國），這個損失，是無法補救的，我們要創造新文化，當然對於過去祖先應有澈底的認識，由於這個遺產的啓示，然後能產生新的文化，一個民族對於歷史及文物沒有留戀，及加意愛護保存，是不可能的，我們當然向中國文藝復興的途徑邁進，縱使在抗戰時期，也不能忽略，因爲激動民族精神的奮起及表揚先人的偉大，是有無上價値的。古今美術品的陳列在一處，可以看出人類思想技巧的演進之途程。及文明之所以形成，這種建設之有無，就是文化啓蒙的分野。

二　職業演講家

——在美國的中國作家鮑納榮——

我從來沒有做過書評，現在亦打算不做書評，不過想介紹一位在美國以寫作及演講爲職業的同胞鮑納榮先生。

當我在朋友張天澤先生那裏看到鮑君的著作「中國人的運氣」，幷聽他說這是他第三部著作，他在美已爲知名之士。他的書當然是暢銷，同時他的演講，每次可得到一百元美金，因爲他已博學又幽默，故娓娓動聽，美國人稱他爲東方之馬克吐溫。

我們知道除林語堂在美國出名，幷藉著作爲生外，很少人有這個機會及地位，爲什麼我們於鮑君的成就，毫無所聞呢？實在令人驚奇，因爲他賺的是美國錢，國內沒有人爲他捧場。西諺說：「本國無先知者」；粵諺說：「本地薑不辣」！現在鮑君在美國出名，而我們國內反少人知道他，眞是文化界無可諱言的缺憾。他的文字沒有一頁不幽默，若有人把他譯成中文亦是「洛陽紙貴」之作。

我看完了「中國人的運氣」，（還沒有看其他兩部「西方的後退」，及「東方人眼中的美國文明」），我無限感動，我可以說，鮑君是中國民族精神的代表者，中國靑年之最有希望者，他不獨爲中國人掙得許多榮譽，而他個人自奉儉樸，力圖上進，前程遠大，且他飲食起居，都保持在中國的簡單刻苦，簡直可以說是苦修的生活，（除非他言不由衷！）連同他的夫人，也是一鼻孔出氣，在拜金主義的國家，不受物質文明的麻醉，而屹然獨存，眞是偉大的以(Generation) 從他書中，只知道他是東北某東北小鄉村生長的，他受盡人間的辛苦、冒險、從廟裏做小和尙，爬到今日的哈佛大學哲學博士，美國聞名的著作家，演講家。讀起來簡直是像聽編造的故事。但世界上這樣成功的不是很多人嗎？這就是人生！信不信由你！他小時在東北家鄉受蒙館教育，那教師每年所得是三萬個銅錢，合起現在，價值是六元五角美金！天天教他讀文章，朗誦古詩。

辛亥革命以後，各處都興辦新學，他也就變爲新學堂的青年，他把辮子剪了，把長衫剪短，權作西裝，自以爲成了文明人，與同學們口裏咕嚕一些英文發音，使過路的人以爲他們是說洋話，把乾的樹葉捲起來燃燒，使人家以爲他是在吸雪茄！

十三歲那年，他父母（他們原籍高麗，因爲日本人侵略大陸，終被強迫着離開家鄉到東北。）不管他同意不同意，就想爲他娶一個素不相識的女子，他以他反抗的精神，從家庭逃出來，流浪各地，袋裏只有十個銅錢，後來遇到一個慈心的老婦人，給他膳宿，問他要幹什麼，他告訴他原委之後，她於是介紹他到一個廟裏去做小和尙，他在那裏還讀了不少的四書五經。

他父母探悉他在廟裏，非常傷感，要他回家了，不論什麼條件都可以接受。他的要求是到新學堂去讀書，於是他離開古廟，到南京，北京，東京，去領略新教育，（可惜他敍述得太少這期的生活。）不久以後，他跟勤工儉學的潮流，到歐洲去了。但到了歐洲，非常失望，使他最受難的，是他吃不慣西餐，最憎惡的是咖啡和啤酒，他穿不慣西裝，硬領及狹窄的褲子，使他難過，好幾次他想穿中國衣服，或者參加裸體運動。

歐洲戰後的情況，使他非常失望，斷瓦頹垣，纍纍荒塚，傷殘遍道，羣衆半像瘋狂，士兵半像昏醉，到處奔跑，此種景象，使他懷疑歐洲文明。於是聽他朋友的意見，猶西方文化，此後漸移其重心於美國了，他遂毅然決然到「自由之鄉」「勇者之家」去了。

一九二一年的一個八月清晨，他居然在紐約碼頭了，關員像對待頭等船客一樣，很容易他登了岸，什麼都不想幹，只有雇了一輛汽車，直駛唐人街去吃中國餐，「我渴望吃中國飯，正像流落在金銀島上的人，想吃一塊乳酪一樣，一星期當中，不做什麼，只是吃飯，不知吃了幾頓下去，結果纔發現囊空如洗了」。他說，一天下午，他在馬路上蹀躞一籌莫展，忽然一個少婦，走近來微笑地給他一張報紙，然後一言不發的走開。他的報紙拿回旅館中翻了幾天的字典，纔知道上面說某處有一個半工半讀的學校，每天只須做幾個鐘頭的工。

他按着地址前進，這是他唯一的出路，紐約是沒有中國人到過的地方罷，他所到之地，都是民衆前呼後推來看他，有的說他是 Chink 或是 Jap（鄙稱中日人的說法），隱約還聽見有些青年男女說「好有趣呀！」當他告訴他們，他也是人時，人們好像不十分相信，只搖了搖頭，一言不發的走了。

那是一所教會學校，女主教很和氣的接待他，無疑的，是想他將來回中國去傳教，去解那森林荒野中的異教徒的罪惡。在那裏住了一年，每天都是祈禱謳頌，很是單調，到了一九二二年，他聽朋友「到西部去，青年人，到西部去。」的忠告，他決意趁著假期到芝加哥去賺一點錢。

他只能幹餐館侍者及洗盤子工人的工作，但他的經驗及英文程度，使他失敗，人們告訴他，要做洗盤子的工作，先要去聽講，如「洗盤子的化學」，「洗盤子的管理法」，「洗盤子的心理學」，等等，他聽了一二課，使他失了幹這個職業的勇氣！

結果他決心去做小販，他有一個朋友，兜售日本絲襪，中國松香，雪花膏，（美國製造！）入息甚厚，他於是照樣辦了些貨物，到黑人區去兜售，（一本一利，他巧語花言的，東方雪花膏可以使黑人皮膚變白，在主婦手背上擦了幾下，果然女主人相信了。

他賺了不少的錢，但良心上對於欺騙良民的職業，不想再幹下去，於是他又進印地安中學去讀書去了。

他在這只有五百學生的中學，唯一中國人的他，當然使人們發生興趣，他們如何取笑他玩弄他，他亦不管，他在那裏得到真正的中學教育，在那裏樹下他為職業演講家及作家的基碰。

他們告訴他，Dumb-bell 是學者上等人的意思，他當然相信，有一天他遇見教員，他對教員致敬說：「早安 Dumb-bell」！（傻瓜）

他們又教他怎樣去取悅女同學，第一要緊的一句是 (You Are Very Wampish)「你很風騷！」他也相信了，他一天對威華的女同學這樣說了，有些發惱，有些咕嚕幾句走了。他們又告訴他，對女人取愛，是要抱她的腰，有一天，他在飯廳這樣做了，他們大笑起來，因為他們說：除非要與她結婚，纔可以在大庭廣衆之間，抱她的腰，於是他趕快向女同學道歉，說他不是想與她結婚！

又一次，同學們騙他一同到郊外去捕鷸鳥，帶一個布袋，到很遠的郊外去，他們下了車，叫他一個人張開布袋，在那裏等候鷸鳥飛來，他們則出發去趕，但是等了很久，沒有鷸鳥，亦不見同學的聲息，他只好又跑到馬路上來，莫明其妙，究是什麼一回事，忽然遇見一個教員，驅車走過，知道他的受騙，纔把他帶回去。

他說，起初他覺得學英文是於他最苦的事，在法國已花了許多時光去學發屑，現在覺得只有兩條路，一是把英文學好，另其一是自殺，有時情願出於自殺之一途。

起初他，學費是依介諾一個商人，他的保護人付的，但是食宿費須自己負擔，找工作當然是一件難事，有一個時期，他爲印地安中學的祕書做工，爲他洗碗碟，看管他的兩個小孩，當他們放學回來之後，并在早飯之前，爲他們燒火爐，但是他沒有經驗，燒成火烟滿室，照料小孩子，則他們不斷的哭，在廚房裏，則差不得把所洗的盤碟打光，結果被他們趕走。後來幸得那裏有一個中國飯主人很客氣的叫他在那裏工作一天侍候飯堂二小時，另外還供給膳宿，光是小賬每星期就快要十元美金，但是做得不好，常常把雜菜及湯從客人頭上淋下去，那只有把他辭退。

後來他有好幾個月沒有工作，錢也沒有了，只好又寫信給他的保護人他的同學幫他在信末寫上一句：I am in a Hell-Of-Fix 的句子（我不得開交的意思）果然錢寄來了，他的校長，有一天叫他去，問他那一句是誰寫的，他說出是同學的惡作劇，校長幾乎把牙都笑脫來了。

校長於是勸他試用演講的法子，找一點錢，他那時再沒有別的生路，只好硬着頭皮去幹，他於是清早就起來，跑到郊外去練習他的演講，安樂的人們還在夢中，鳥兒還在窠中安睡，露珠兒在草上發亮。

有天早晨，當他練習的時候，大概一個爲鬧聲嘈醒的人，從遠處出現，慢慢向他跑來，他拚命的逃，第二天的報上登載着說：城郊有一個發瘋的中國人，天天在那裏呢喃，居民要當心。他把一篇關於美亞關係的短演說辭，足足練習了三個月，說不透澈時，只有請教同學，但又怕他們又是開玩笑，結果只有請教員修改。先在一個文學會裏演講，很使同學驚奇，後來有好多學會都來請他演講，都是不受酬報的，有一次，一個婦女俱樂部約定有酬金的請他去講，結果得到的是一元美金，數目雖小，但給他許多的勇氣。他那時很想售賣演講賺錢，又不知道從何入手，又不知道有所謂演講經理事務所，人曾問起他的代價時，不知說要一元還是五元纔好，後來有些教會答應他在演講時，隨意向人捐款，他很生氣。他以爲那有些像討飯。美國同學解釋他聽，美國是通行這種辦法的，結果他屈服了，以後每次演講，可以得到五元十元了。

最可笑的是他有天跑到一間學校去，請求校長，請他演講，那校長說那不會有人來聽，他說：我奇怪的面孔，夠使他們好奇來看，校長說：我們的學生，看過不少東方人，假如你能做把戲，從帽子裏變許多兔子出來，或者會跳舞，則一定可以號召學生來看……還眞把他氣死。

以後當到處演講，有一天，他到加拿大，一個中國飯館的老板招待他膳宿，不知怎的，那些僕役們，懷疑他是日本人，想在中夜殺死他，結果他把護照拿出來給他們看，纔沒有喪命。

從加拿大回來，他改讀西北大學，攻讀史及政治，常常到支加哥等地去演講，報上有許多好評。一九二五年，他參加政治論文比賽，居然得了獎。不久他又轉學 Minnesota 大學，因爲他不願西北大學要同時學法文及德文，他不願費太多的精神，去學其他外國文。

有一次他在M城演講完畢，發現一個少女走得最遲，又天眞又害羞的樣子，出現在他的眼前……原來是她母親在收音機聽過他演講之後，叫她來聽的，於是彼此發生感情，戀愛起來，常常到她父母家裏去過週末……她原想爲還女子而努力，但是後來她與一個本國銀行家結婚了，使他於一個時期，非常沮喪，經過三思之後，他認爲還是與自己同種人結婚纔是幸福！失戀之後，她從腦海中去找尋所認識的女朋友，後來，想起一個在洛杉磯見過的中國女子名，「Lanchei」的女畫家，經過很久的通信，他們終於結婚幸福地生活着，現在已生了一個女孩子了。

他回過中國一次，不知怎的，很快的又回美國，恐怕他過於美國化，不能在國內生存罷。

一九三二年，他居然在哈佛大學考得哲學博士的榮銜了，他從社會的最下層，爬到最上層——國際人物了。

那時美國正是不景氣的時候，失業工人都只有靠政府救濟，他亦找不到工作，只好排列在施粥的窮人的行列裏，他們當他是洗衣的唐人，并說：從來沒有看過中國人吃施粥的，這樣的人生，眞是「神仙老虎狗」俗語說。後來他的朋友請他到西部保守大學去當講師，生活纔得解決。

有一次演講之後，一個美麗的少婦，請他到她家裏去用膳，只是他兩個人，吃了飯還叫他一同到廚房去洗碗碟。一壁談，一壁工作，態度親密得很，幾使他不知所措，後來坐在客廳裏談天，忽然她的丈夫回來了，他眞有些恐慌，不知她的丈夫將怎樣發惱，但是只聽見她毫無特殊表情的介紹說：「這是我們俱樂部請來演講的鮑博士」，她丈夫於是很高興的談起來，這就是美國社會，在中國人必早已自作多情了。

因爲常常要在演講之後參加宴會，迫得他不得不去學跳舞，使他實在吃不消，他想起伍廷芳有一次在美國參觀跳舞會，看見人們老在那裏打轉，毫無意義，於是他對同坐的美人說：「你們爲什麼不叫黑人去代你們去做這苦工？」的故事來。

他有時與日本人 Kenesuke Adachi 名作家及名記者共同在講臺上辯論，人們都翹企以望，這兩個仇人在那裏打一個你死我活，但是他們動口不會動手，各以中日的立場，互相譏責而已。

很可笑的，他受了西方教育之後，像許多留學生一樣，想一切都西洋化，他試把頭髮染黃，把鼻子弄高，把顴骨壓低，但是一切都不成功，結果顴骨愈弄愈高，幾乎可以把褲子掛上，這是他很後悔的，他後悔學得一切西方人的惡習，一切物質的享受，只有使人更煩悶，永遠不能滿足，亦不覺得可愛，正如古代哲人所謂：「起初人喝酒，於是酒喝酒，結果酒喝人！」現代的人，全是如此，不是爲快樂而享受，人是變了酒，煙，香口糖，及一切奢侈品之奴隸，人的心靈，已隨時受物質的牽制，不能片刻自由，這又何苦來呢！人們把所要的東西得到手，就不覺得可愛，老是想別的東西，有一百萬，就想兩百萬，富人以爲窮人什麼都沒有，很可憐，但窮人以爲富人纔是可憐。

他覺悟了，就去反抗這些罪惡的物質需求，回復他東方人刻苦節約的生活，住只有兩間的房子，不吃咖啡，茶，煙，酒，肉亦少吃，每天多吃蔬菜，有時兩夫妻到野外去收集，不費分文，我眞害怕他會有一天營養不足，影響他的天才之發展。那未免太過於像修道士的生活了。比方他說：他只有兩件工作的衣服，一套晚服，夏天的衣服，至多值五元美金，黑白褲各一條，內衣二件，幾件內褲，一件游泳衣，還是他夫人用什麼舊衣服修改成的。有一天，他的夫人問他，你穿幾號的內衣，因爲她說，若是同樣大小，她可以隨時借穿！他看見人家廚房裏，金碧輝煌，用具齊全，在中國人看來，是一付財產，他自己廚房的用具，一共還不值五塊美金，她的夫人跟他一樣節約，不擦粉不塗胭脂，衣服簡單，他們把許多錢積下來，打算做什麼呢？

關於反對物質生活他寫了好多頁，可見他的崇尙東方精神文明，把精神寄托在另一境界。總觀他的全書，文筆流暢，（他是一九二二年纔學英文的人，眞是難能可貴）幽默，不亞於林語堂大師，惟立論似乎沒有林之深刻淹博，及其中國舊文學哲學的修養。其見解之特殊，敍述之勇敢，不怕說出自己曾做小販，吃施粥，眞是有盧梭懺悔錄之風，已非我們要面子的大國民風度了。當然亦是使美國人歡迎的大原因。開「東方人眼中的美國文明，」寫得更幽默，可惜沒有機會借來看，我們在國際上成名的作家太少了，所以用一番熱誠，將他簡單的介紹給國人，況在他正在不惑之年，將來等身著作，自然指日可期的！當然，我的介紹沒有表現出其著作精彩的十分之一，現在且將美國一般對於此書的批評，節譯數段，更可引證此書的價值。

我從來沒有讀過一個自傳，比這個作風更伶俐的，這點使全部書充滿東方人的幽默，使人讀起來，感到無限愉快，全書流露着理想家，諷刺家，哲學家的意見。Allen, Program Magazine

他的字句，有時像鑽石般發亮。Washington Star

他以大量的幽默及西方的狡猾的諷刺去造成他的故事。Baltimore Morning Sun

是一本自然愉快的書。A. N. Holcombe, Harvard University

是輕快的幽默及哲學之風味。Cincinnati Enquirer

牠充滿幽默的光輝，及表情之快愉的作風。Atlanta Constitution

這是一個冒險者生理的精神的有趣味的記錄，他已在美國漸次如林語堂般出名了。Oregon Journal

他生活中歷史的敍述之傾向，將特別使那些知道今日的太平洋已非一湖沼的人發生興趣。The Bookman Radio Service N. Y.

一種常識，人生哲學及幽默感，充滿全書，是很可愛的。W. B. Munro

一個俗語（指「中國人的運氣」），變成一本好書的名稱。A. Leader

無疑的那種生活的哲學，是可以給許多人依賴的。Dean Frank M. Debatin Washington University

離奇的近乎馬克吐溫的幽默，使這書美化了。Winning Free Press

以下是關於「西方的後退」的評語。

是白種人應該讀的書。Pearl S. Buck in Asia

他以深入的趣向，去討論今日的亞洲。The American Mercury.

學者式的中國作家，和氣地，聰明地，滑稽地，從新的角度，去批評白種人的關係。World Affair

大體很公正的，以幾個精密的語法，去概括很複雜的環境。Christian Science Monitor

這書可幫助人了解今日遠東的情形，因爲他給現在的環境以距離的透視。John Dewey

誠然是罕有的能用有趣的筆法以報告文去寫重大題材。鮑納榮博士在他「西方的後退」書中，已做到這點。Eliot Janeway

這個東方學者所說的故事，是迷惑人的，使讀者得到遠東問題的智識，是不無裨益的。Boston Transcript

沒有讀現代歷史的學生（尤其是報上每日登載的歷史），會不想讀這書的。San Francisco Chronicle

飽納樂博士的東方克服的幽默與西方的現實主義化合，把需要說的故事說出來。Charles A. Beard

這書是挑戰地，煽動地，要求西方人嚴重注意。Prof, G. Blakslee Clark University

絕對的有趣，興奮，刺激……讀起來快意。Baltimore Morning Sun

「西方的後退」一書，或者是今年最偉大的成就。Pittsburgh Press

三十年十月抄寫於外交部

仰天堂隨筆

一　香烟與人生

香烟發明於何處，及幾時流傳入中國，都沒有見人考據過，大概是非洲或美洲的土產，土人稱之爲 Tobacco。故華人譯爲淡芭菰，把辣刺不堪的東西，經此一譯，變而爲很有詩意雅俗共賞的物品了。聽某統計者說，我國人香烟的消費，每年達五萬萬元，若全國人能戒吃香烟一年，以這筆款購飛機坦克車，則國家早已強盛了。

神經過敏的衛生家，常著長篇論文說，香烟中有尼古丁，很有害於身體，甚至減少生育，但我國上自達官貴人，下至販夫走卒，無不一烟在手，心曠神怡，若曾影響生育，則我國人口不會由四萬萬而增加到四萬五千萬了，鄉野間烟癮最大的農夫，通常可享八九十歲的高年，最會攝生的醫生也多歡吃香烟，我以爲至低限度，亦不會毒過都會上的煤烟與汽車油烟和灰塵，香烟的消耗最不經濟，因每枝香烟的五分之一（闊人或者三分之一）是吸不完的，擲在地上或痰盂中，（聽說這一節香烟，藏着最多尼古丁，故外國有一種烟管是貯藏着藥品，以收集尼古丁的）。這也還算有人道作用，因爲這樣能養活不少拾香烟頭度日的小癟三，假如沒有這個廢物利用的救濟，則社會上必多一些搗亂份子。

俄國人最懂經濟之道，把香烟頭的一端，接上一節硬紙，這樣子吸至盡頭而止，這個辦法各國都不效尤，真是不解。

香烟與人生之關係亦大矣！幾乎支配了整個世界，若強力禁吸香烟，不但政府的烟稅無着，會發生財政恐慌，而吸民會烟癮大發，涕淚交流，造起反來，誰料到這小植物魔力如此之大呢？

聽說烟的功用很大，有些作家要拚命抽烟，如鄉兩遮一樣，飲幾十杯咖啡，藉着刺激，纔能文思大進，而做得好文章出來，當一個個烟球向空中飛揚消失，他的腹稿亦已擬好，倚馬可待了；還有在交際場中，藉烟之力，可以高談闊論，平章國家大事；或夜深人靜，一雙情侶，在火爐旁邊，因香烟之力，使對方有勇氣提出求婚的話來；或對借錢的來客，敬奉一枝香烟，可以展緩他的要求的提出；福爾摩斯，偶然會從一個香烟頭研究出盜賊或兇手的所在；有些西洋女子，喜歡與吃烟的男子接吻，無非藉着烟味以引起對男性的景慕；前線戰壕中的聯軍與同盟軍，也有時因needs索些烟草救急，而談起話來；騙子可以用一枝有麻醉性的香烟，以達到其行騙的目的；我們有時在旅途中，因為借火柴抽烟，而結識一位愛人或風塵知己……

烟的吸法，也因民族時代而異，中國人舊時用竹竿後來用金屬或木製的水烟筒，近數年始盛行捲烟，有些鄉間農人烟癮大的，則直接以烟絲放在口中，或牙縫裏，以安定其工作之精神；安南苦力，則有以火柴盒，上穿一洞，洞口放烟絲，另以一掌掩住盒子的一端，以口吸另一端；土耳其人的水烟壺則以橡皮管五六根，壺上一點火，則同時五六人可吸，這容易傳染疾病，與中國人皆得而吸之烟管一樣；古代的歐洲貴族，則喜用鼻烟（好像潮洲人亦喜用），以精美的盒子，裝着如八寶丹的藥末，向鼻一撒，粉末散佈在鼻孔的外部，多麼難看，這種享受，實在野蠻不美觀。

吸烟具也是五光十色，巴黎的蓬髮藝人，有一種磁烟斗以配合他們的大領結；美國型的青年或生意人，有他們偵探家式的烟斗；德國南部有一種瓦烟斗，其大無匹，頗爲旅行家愛好；中國人有象牙琥珀管，或海豐的梅柳烟管（聽說可以治痔瘡），我們鄉間的農民，喜歡用昆蟲咬穿灣灣曲曲的山柑子樹，做烟筒，或者捉了這種昆蟲，使其從一端吃進去，能夠驅使昆蟲工作，甚是難得的技術。

凡此皆富於異國情調，或地方色彩，若火爐架上，能齊集之，是甚感趣味的事。

在這裏想起一個與香烟有關的故事來。傳說南洋某地的森林中，一個工人工作得疲倦了，找到一根倒下的大樹，便坐在上面休息，吸着烟以恢復他的精神，但當他將烟灰傾倒在樹身上的時候，大樹有點移動了，他驚異起來，抬頭一望，看見前面一個大蛇頭，昂然望着他，他始知道坐的是大蛇，發步大跑，纔未被蛇吃掉，這是香烟救命和形容南洋多大蛇的故事。

林語堂先生，在生活藝術上，極力宣揚吸烟的好處，說得很幽默，一時已記不起來，一定有許多大學生，經了他的宣傳，而吸起烟來，以便作未來的思想家。林先生是以幽默態度寫傴，我們不能以嚴正的學理去辯駁牠，大概他的太太鼓勵他吃烟，纔好寫文章出來之故。

我以前喜歡吃烟，而且吃過十幾年，但我現在居然戒絕了，我是因美感與康健而戒掉的，戒烟不是容易的事，許多朋友說要戒烟了，但我立即打賭，他不能實行，果然能戒絕者十無一二。

吃烟的結果，最可怕是黑牙口臭，手指頭變黃，或口脣焦爛，氣喘如牛，很容易使心臟衰弱，有些人講話的時候，不站遠一點，一陣口臭噴過來，使人作惡欲嘔，然其本人似乎幷不覺得，這些烟民的太太夠辛苦了，假如他們還樣去作密斯運動，一定會失敗的。

我們試想想，一口一口的濃烟，吸進肺部去，若說不會影響健康，是使難於置信的，你看烟管內的油結集得多得可怕，人身烟油太多，總不會有好影響的，他們說，這樣子可以避細菌，那麼爲什麼不發明香烟血清呢。吃烟的人，多數是有歇私的理病態的，一枝一枝的吸，神志不寧，好像是爲吃烟而吃烟，不是爲欣賞而吃烟，消耗金錢，自尋煩惱，又何苦來。

我以爲一個人是應該自自由由，無拘無絆地生活，每天要吃飯，巳覺得麻煩，爲什麼又要染上烟癮，如蠶自縛呢？你不看見有大烟癮的人，若手頭無烟，則心神不寧，或無精打彩，好像不能再活下去，甚至涕淚交流，呼吸短促，如人病癱，唉，人生奮鬬途程中，巳夠多瑣屑無聊之事要處理，故我們的生活，應簡單化，以減輕煩惱，若時時要烟來刺激，纔能夠做人，那豈不是笑話？

換言之，吃烟的惡嗜，與安南人一刻不能離開嚼檳榔蒟葉樹皮，及石灰少許，不過是五十步與百步之別。由此類推，將來不難有人發明時時含胡椒，青礬或桐油，纔能過日子，這是多麼野蠻呢？

輪船上，在俱樂部，很多另設一間吸烟室，在火車上或電車上，若有女客在坐，有歐美禮貌的人，必先問准女客的同意，纔可吃烟，這可見吃烟，是到處使人討厭的東西。

現在因爲戰事影響，即蹩腳的老刀牌，七星牌，重慶也賣五六元一包，在發國難財的四夫們，（汽車夫，轎夫，挑夫，船夫，）尚可以吃得起，惟在薪水有減無加的公務員，眞是吃不消，可是烟癮是無情的，結果大概是把菜錢減縮，作爲烟費，或以其他手段，弄得後方的太太們，哭笑不得。

吸烟的人若能像買香烟一樣，有恆心，有毅力，把這種香烟錢儲蓄起來，爲事業費，或爲兒女教育費，一二十年後，不是很有可觀嗎？

常常在馬路上，或勞働階級裏，看見年紀很輕的孩子，都吸起拾來的香烟頭來，爲人道的緣故，我常常干涉他們，他們很少敢反抗的，多數是笑嘻嘻的，表示自己不好，立即把香烟毀滅，負責教育的人，應極力宣傳孩童吸烟之害，且香烟屁股是最會傳染疾病的。

我記得在十二三歲的時候，即常常與小弟弟偷吃我父親的水烟筒，居然吃得津津有味。後來一九二三年，到了德國，因爲馬克價低，於是天天吸起金頭香烟來，一手捧起櫻桃白蘭地洒，一手按着象牙烟嘴，大有不可一世之概，終於上了癮，一直吸了十五年。後來因為覺得喉嚨部份，分泌痰質日多，聲帶都受了影響，說話的聲音都低啞起來，時時想振作一番，把牠戒掉。很可笑的，把整包的香烟擲在痰盂裏，或把象牙烟嘴踏碎，但一二日後，敵不過烟癮的威迫，又買過一包香烟來抽了。不禁自己都鄙視自己不堅決的意志來了。烟癮是有多麼偉大吸引力啊！

在廣州淪陷以前罷，記不起是否因為身體，或其牠力量，居然把香烟戒絕了，在越南一年多，雖香烟非常好而便宜，也不想再去嘗試，這個決心，確是難能可貴的，故我常說，一個人連戒除香烟的毅力都沒有，則將來欲事業成功，恐怕沒有多大希望。

三十年一月韶關

二　憶蔡孑民先生

「一代宗師」「黨國元老」「大儒」蔡孑民先生逝世將近一週年了。當時倫敦大典的隆重實近世少有，當時我羈旅越南，未能參加其葬儀，覺得很抱憾。事後好像他的朋友王雲五等，曾發起一個元培圖書館，來紀念他，國府也撥了三萬元撫卹金，因他確是「身後蕭條」。

蔡先生的朋友門人滿天下，但是除了幾個畫報曾紀念他死後的榮哀外，很少看到追憶他批評的文字，比之魯迅死後，文壇熱烈的闡發其思想，紀載其私生活，真是差得遠。這不知是甚麼道理，大概蔡先生平日不甚與曾寫文章的青年們往來，而他的朋友門人又多成了達官貴人無暇及此。

聽說蔡先生是前清的翰林，四十多歲纔到德國去研究哲學，——他的德文能看書而不能講——思想始終是前進，自奉永遠是儉樸，做過兩次教育總長，仍是兩袖清風，故他的道德文章，是無可指摘的，能為全國任何階層的所欽敬，也就是因為他言行一致的偉大人格。一般貪官汚吏，對他真要愧死。

他第二次到法國，大概是民國十年，他適兒當時的華法教育會，不能再得到北京政府的接濟，於是我們讀書的津貼，也斷絕了，幸得我家裏有錢寄來，那時我不曾像其他的青年一樣，設法去結識他，以作後來進身之階，直至民十五年，在上海滄洲飯店纔第一次見到他，以後恐怕是他喜歡美術家的緣故，我們時常往來，他為我題過「意大利藝術概要」「雕刻家米西盎則羅」兩本書題，我因為申報趙君豪的要求，（趙是他介紹去申報的，蔡先生說過。）為他塑了一胸像，內鉛外銅，但是自己覺得塑來不好。

有時看見他說德文，還不如他夫人好些，很是為他難過，那時他住在蕃爾鳴路，中國式樓房內，設備簡陋得很，與當時他在社會地位的崇高，是不相稱的，這就是他的偉大處。

十六年，我到漢口去了，除了送過他一本「微雨」詩集外，以後很少通信，不久他在南京為教育行政委員會委員，當我於十六年秋回到南京的時候，他正發表為大學院院長，見面後，他毫不遲疑的叫我做秘書，我是從未做過官的，怎能當得起這個責任，公文程式也不會見過。

不知什麼理由，當時行政處長楊杏佛，主張大家吃西餐，於是有胃病的高魯，有肺病的楊杏佛，及金曾澄，許壽裳，蔡先生及我大家每天吃起不三不四的西菜來，記得每人每月扣二十五元，在那時候算是奢侈了。蔡先生不獨吃得慣，且胃口很好，吃時談吐風生，對下屬沒有一點官脾氣，對人都稱先生，不像普通大官，動輒叫人為「黃科員」，「張小隊附」等等肉麻腐敗的稱呼。

好在那時尚有很多的秘書，不須我辦公事，我只是代他會求差事的客人而已。一隊一隊的北京大學生，多數失望而去，因爲他們「當晚轉達」及蔡先生的「容爲留意」，使得他們不得不從旅館裏搬回老家去。

我那時運亨通，外交部通知我們，（記得是林語堂，謝冠生，劉明釗，甘介侯及我，）到部去工作，當時因爲我未識該部長伍朝樞，以爲還是跟蔡先生做事好，所以沒有去，好像他們幾人也各有事做，不曾同去。

十七年春，杭州國立藝術院創辦，我「義不容辭」的調去教授雕刻，沒有料到四年最寶貴光陰，都銷磨在那裏，也許是命該如此！

其時還常常到蔡先生那裏去，記得我有一條狼狗割愛送了給他，後來他到青島去時，僕人不小心，又逃跑了，他很爲惋惜。

二十一年，我回廣東來，就很少與他見面通信，他亦不得志的只做中央研究院院長，在梅司非而路度其風燭殘年。

二十六年夏，我偕着家人到香港淺水灣去游泳，那是第一次也恐怕是最後的一次，無意中在飯茶的廳子裏，遇見蔡先生和他的夫人孩子們，他那時身體已不很康健，面色蒼白，故不能到重慶去共赴國難，在港養病已一年了。他看見我太太說：「這是李小姐嗎？」我忍不住笑起來，蔡夫人纔連忙說：「這是李太太」，大家笑了一場，可見他的精神是有些那個了。想不到那是我們最後一次的見面！

三　從周作人談到「文人無行」

周作人是新文學運動的健者，與他的弟弟周樹人真可說是一門雙傑，但這個在苦雨齋窗下學養蛇的詩人，（讀者尚能記得，他寫了一首用某蛇麻韻的詩，全國和者極多否？）居然圖利詩薰心，擺脫不了日本黃臉婆的誘惑，而在苦雨齋屋頂，懸起太陽旗來，他現在任什麼漢奸要職，我們不詳悉，但貽羞吾國文化人，是鐵一般的事實，用什麼西江之水，也洗不乾淨的，從此感到「文化無行」的話，是有來由的。

我與周作人無「一面之緣」，但與他通過好幾次的信，且可以說是他鼓勵我對於象徵派詩的信心，記得是一九二三年春天，我初到柏林不滿兩個月，寫完了「食客與凶年」，和以前寫好的「微雨」兩詩稿，冒昧地（那時他是全國景仰的北大教授，而我是一個不見經傳二十餘歲的靑年，豈不是冒昧點嗎？）掛號寄給他，望他「一經品題聲價十倍，」那時創作慾好名心，是莫可形容的，那時在巴黎的李璜，也是能賞識我的詩，給我增加自信心的一人。

兩個多月果然得到周的覆信，給我許多讚美的話，稱這種詩是國內所無，別開生面的作品。「那時人家還不會稱爲象徵派」，即編入爲新潮社叢書，交北新書局出版，我這半路出家的小夥子，（十九歲就離開中國學校，以後便沒機會讀中國書籍。）得到這個收穫，當時高興得很。

到一九二五年，我回國來，「微雨」已出版，果然在中國「文壇」引起一種微動，好事之徒，多以「不可解」譏之，但一般青年讀了都「甚感興趣」，而發生效果，象徵派詩從此也在中國風行了。

講到「文人無行」，最令人痛心的，是汪兆銘的認賊作父，他將來肝腦塗地，是必然的，我們且忍耐些，但傅筱庵的鉛彈穿胸，仍不能嚇退他們的事敵忠心，尚有許多次等文人漢奸，如樊仲雲，諸色人等，利令智昏，豈可恕乎哉！然而他們枉食中國數十年的米穀了。

前一月，桂林的國文月刊，有沈從文一篇談習作的學校講義，隱約對於周作人之爲漢奸，加以諒解，說什麼「似因年齡堆積，體力衰弱，很自然轉而成爲消沉，易與隱逸相近精神方面的衰老，對世事，不免對浮沉自如之感」。又說什麼「……充滿人情溫暖的愛，理性明瑩虛廓，如秋水，如秋天，於事不隔。」周之博學勤讀，（似乎懂德文，英文，日文，懂希臘文，恐是假的，）小品文，瀟灑瀟洒，當然是無可否認的，但若以一個文化界的引導者，搖身一變爲漢奸，還曲解爲浮沉自如，比之陶潛退隱，以已非喪心病狂，抑別有用心猶之乎在中山大學，穿着漂亮的新西裝，做出外國人演講姿態，而講抗戰爲中國最後一個人的汪季新，搖身一變，投到倭寇的懷抱裏，日夜要求敵機去轟炸華南同胞，或加緊粵南攻勢，以滿足他的政治野心，我們還說他是志切和平，有心建國，豈非在發夢囈？一言而蔽之，汪兆銘是生成一個野心

四 我名字的來源

——不是有金色的頭髮而是一個夢的結果——

這次本刊徵文，定下「我的父母、兄弟、師長」等題目，我覺得這題目很平凡，決意不寫，寫來也一定不會是一篇好文章，因爲每個人講父母兄弟，必定不會說不好的，於是什麼「爲人和藹可親，少有大志……」什麼「事親至孝，生而聰穎，一目十行……」之類，這樣不是等於傳記嗎？若是執筆的人，不存心爲父母兄弟的德行表揚，多寫些我的流浪，失戀，隨落，盜竊狂，失業，坐牢，幸運，厄運，遇險，偷情，初戀，說謊，投機，懺悔，糊塗等文章，必爲驚天動地的特寫。我因爲以上的理由，不想寫雷同的文章，故選取「我的名字來」寫這篇小品。

我常常想，我的名字或許是中國自有文名以來，沒有雷同過的，因爲古人命名很嚴肅，必定不會有這樣，有浪漫色彩的名字，同時古人沒有見過金色頭髮的人，所以我敢驕人地說沒有雷同。

許多朋友，或初交的同志，或陌生人，常常疑問到我的名字的來源，有些推測到我是有金色頭髮的美男子，有些則以爲一定是鄉下人很俗的「金發」名字改頭換面成功的，有些以爲我大概崇拜西洋人的金髮碧眼的緣故……其實這些都不對，原來是我弄假成眞的筆名，我以前有過好幾個俗不可耐的名字，一直用到民十四年由法國回來才不用牠。

我的筆名之所由來，完全是一個夢的結果，記得是一九二二年的夏天在巴黎和一個同學像發現新大陸一樣，在上議院前街，一間叫做議院旅館裏，租到一間比較價廉物美的房子，在一向住慣小旅館的我，看見房子裏鋪着紅色地氈，寬敞的鐵絲床，和十九世紀風格的傢俬，眞是樂不可支，適值是暑假，手中沒有豐富的餘錢，去做避暑海邊的夢，於是只有遊藝院，看博物館，看小說，去銷磨日子，日看小說，夜看小說，不知不覺把托爾斯泰和羅曼羅蘭的小說，看了幾十本，直至神經衰弱都還不知，有一次，和幾個朋友在熱鬧的地方散步，忽然眼睛一花，滿天星斗，幾乎暈倒下去，自己知事不妙，即刻叫一輛野鷄車要朋友陪我回去，那天大熱大渴，昏昏迷迷，老是夢見一個白衣金髮的女神，領着我遨遊空中，自己好像身輕如羽，兩脚一擺，即在空氣中前進數丈，這樣的夢，繼續了好幾天，一直到病好爲止，我後來覺得這次沒有病死，或許是天使的幫忙，不可不紀念她，於是好幾次將金髮做爲文章的筆名，後來朋友公認都爲很新穎，遂索性大膽地作爲自已唯一的名字。這有些像編撰的故事了，但信不信由你，我已把牠用了十七年了。現在我順便談談人與名的關係。一個人的名字，我以爲與一個人能否成名，有大大的影響，尤其是文人。如一個文人叫做得勝、多福、廷願、國華、士強之類的庸俗名字，人家一定很容易忘記你的尊姓大名，而使你的作品，事倍功半，推而至於吃政治飯的人也是一樣，不要用平凡的名字，也許有人說：有些名繩武、念祖、漢傑、國棟等俗名字的人，也會發達。我敢說，這是千百萬中失敗者的例外，這些人必定有其特殊的關係，如承繼、血統、招聘、朋友、擢拔的，不是白手成家，奮鬥出來的。故我生平看見人家庸俗的名字，很替他可惜，若是熟朋友，我必勸他改名，聽我的忠告而改成功的很多，但有些則好像怕一改名後，熟朋友不再認得他是當年的某某了，雖然他尚未出名，改了有何可惜，且改了以後，天涯海角的朋友，還是認得他的。

名不正則言不順，我以為一個人，應該有美雅的名字，有時看見人的名字，就可以想像出那個人的外表和性格的一部份。這樣可知名字給人的印象多麼大，我相信你我若是做了大官，若看見一個求差事的王長福的名片，必定感到不高興，或者不想見這種俗人，雖然或者他是哥崙比亞大學的博士，但庸俗的名字，已給他蒙上碰壁的噩運。

三代以下惟恐好名，現代的人，都喜歡自己的名字在報上雜誌上登出來，或永遠留存在歷史上，他認賞他的名字，是世界上最重要的東西，他願意出很大的代價，去使他留存或廣佈，你若叫錯或寫錯他的名字，他將憎恨你，他以為我這樣重要出名的名字，都還不認得，實太不應該了。許多初學投稿的人，也常常要用一個筆名，我實不解他們的心理，初出茅廬尚未成名，應該用眞姓名寫出去，纔可以漸漸使人認識，何必學大文豪或因政治關係不得不用筆名的作家呢？

我以爲中國人的名字，是世界上最好最美的有表示謙恭的，自負的，退休的，玩世的，樂觀的，悲觀的，曠達的，憤世的，憂國忠君的（大家都知不必舉例了），深義，又優美，又使人易記，不像歐美的人，小名則千般一律與宗教有關係的，姓則少有意義的含蓄，那眞呆板之極，至多有些是以職業爲姓，如德國人之搆帶匠，挑水人；法國人的鞋匠，木匠等。在柏林見過一家門口的銅牌，其名字是「死人頭」，那又未免太殺風景了。

五　科學不能救她的命

「張嫂因爲知道自己的病絕望，及受不起痛苦的熬煎，曾經三次上吊，希望結束她的殘生，但三次都被人發覺，她死不成，現在她已經病到最危險的關頭了，但族中的親房，不肯把她抬到正堂去等待壽終正寢，只是放在橫屋或下廳，因爲她是妾，不能享受這最後的安慰與光榮……」

這上邊的一段家信，每一字句都刺痛我的腦神經，着實難過，感到世界上尚有許多不治之症，科學還不能完全征服自然，是一件憾事。一個充滿生之慾求的人，無能反抗地對着死神屈膝，是多麼可憐，雖然在有宗教信仰的人，對於生，看作色空，對於死看作進涅槃天堂的過程，但這個病者，根本沒有這些信念，對於死是畏懼的，恐怖的，且不能痛快地死去。

我去夏在鄉間住了四個月，從來不曾遇見過她，但時時聽人說起她生了多久的病，她嫁到那裏，大概有二十年光景，因爲她的兒子已十八九歲，她的丈夫，去年從爪哇帶幾千塊錢回來，預備爲他死了三年的父親治喪，但他自己一回到家鄉，便病倒了，起初聽說是瘧疾，不三不四的庸醫，都來試投一下藥石。都沒有回響，久而久之，人家纔知道他是患着第三期肺病，但他自己仍不肯承認，終於在他父親治喪後一星期他就死了。

她丈夫死的時候，張嫂的病勢亦沉重了，不能起來；人家都不明瞭她患的是什麼病，有的說是「暗病」，是婦科病的意思，她沒有知識，不好意思說出自己病的眞相，就是說明白了，鄉下除了求神問卜，或一二個庸醫試給她服一些不著邊際的草藥，把病延誤至危險萬分的階段外，別無意義！一般無知的鄉下人，幾千幾萬在這種情況之下斷送了性命，地方上沒有醫院，有了醫院，他們又不相信西醫，說起來眞夠可憐！

她丈夫死的時候，她不能起來跪拜，「穿麻衫」，人家還怪她「豈有此理」。

她的病勢日見沉重，有人說她是患的「血山崩」，——鄉下人眞愚昧的可憐，凡是有婦科病，都斷爲「血山崩」，他們未聽過子宮炎，子宮瘤等名詞，一患了就沒有救治的方法，只好在那裏等死，不曉得請西醫生的，只有借托中醫生食些水藥，可憐中醫生自己也不曾聽到這些名詞，要想也想不到，可以用手術醫好，——不如到城裏黃塘德國人辦的醫院去診治一下。

她伴着一個伯母，用絕大的勇氣，去抑制害羞的觀念，纔把自己交給德國醫生去檢查，可是德國醫生診出她患了毒瘤，——就是癌，——生於膀胱與直腸的絕間，太遲了，不能施手術，因爲膀胱與直腸割掉，亦是會死的，死亡是時間問題，大概在三個月之內。

她聽了這死刑的判斷，再沒有勇氣活下去，在回來的途中，幾次想跳進大江中結束她的性命。

這是兩個月前的事，現在她恐怕已到另一世界去了。這是諱疾忌醫的結果，庸醫誤人的必然的事實，亦是中國農村一般無知的人的縮影。

自從居里夫人發明鐳之後，癌已不是不治之症，世上整千整萬的人已被救活，還有新發明的冰凍睡眠的方法，亦可治療毒瘤。是一種驚人的治療術，實施時病人有如生物的冬眠狀態，病人用冰裹起來，像冰箱裏冰鮮魚一樣，電風扇吹着，病人知覺全失，脈博停跳，正是在生與死的一條線上，經過五六日後，醫生用熱劑和咖啡去回復病人的知覺，並沒有痛苦，像睡覺醒來一樣。這種治法，其功效在阻止疾病的蔓延，好像冰箱中的冷氣，阻止食物腐爛一樣，經過幾次施術後，毒瘤的腫瘍，很快地瘦縮而漸次痊愈起來。這是多麼偉大的成功？我以為若人類的智慧不消耗在研究出新的毒辣的技巧，來屠殺自己的同類，而將整個人類的天才，去尋求延長生命的方法時，一定有很大的成功，將來人類可以很少疾病，或者可以活五百歲。

六　中西戰時生活的比較

有時我自己無意識地懷疑起來，我是否安居在抗戰了五年的國土上接近的是否距前線不很遠的社會，過的是否全民抗戰的生活，與歐洲各國戰時景象對比之下，實在差異得驚人。

我們都知道歐戰爆發之後（不論上次和這一次）動員令一下，全國的空氣緊張到極度，適齡的壯丁，都滿腔熱血的跑到戰場上去表現自己的勇敢；懦怯的則如喪考妣，逃的逃，自殺的自殺，有未婚妻的提前到市政廳去登記結婚，不及結婚的則海誓山盟，胡天胡帝，大家都在上戰場前，痛飲狂食一番，出發的時候，軍樂悠揚，父送其子，妻送其夫，悲壯的空氣，眞是難以形容。

戰爭激烈的時候，教堂裏祈禱的特別的增加，但是上帝沒有多餘的力量，來使軍部不發表傷亡的指數。糧食早已統制起來，糖、茶、咖啡、牛油、須憑票領取，一定的份量，麵包也變成黑的，牛油也有眞假兩種，煤炭也不易燒，任其過天寒地凍的日子，購食物的時候，須擺成長蛇陣，等候了二個鐘頭，纔能買得一磅半磅的食物，於是人們也隨着時候而有鵠形菜色，因爲肉類油類已不是人人能享用的滋養料。兩片麵包夾一些香腸臘肉，又算是一餐，咖啡也以「麥滞茶」做咖啡代替品，新興的代替品更是層出不窮。

戰事結束了，未婚的青春少女，大部份到工廠裏去承接陣亡了的工人的工作，社會上可以看見大量斷臂人獨脚英雄（可以說他們救治得時，纔不致喪命於受傷之後）成千成萬的無名英雄，在陽光下享受大自然給予他們的榮譽，即在小城市裏也建造一個死難壯丁的紀念碑，許多學者，詩人，畫家，雕刻家，科學家，甚至法國總統丟麥克的四個兒子，也做了民族英雄，換得一個鐵質勳章。

「中國眞是神祕的國家，民族是神祕的民族」；常常聽到外國人這樣的批評，可不是嗎？我們初期戰事，雖然失利，但不致作城下之盟，且可以重振旂鼓來幾個大勝仗，現在可以牽制行敵八百萬兵士，一籌莫展，海岸線號稱全部封鎖了，但我們可以「貨如輪轉」，商人的利潤且較戰前增加到十百倍，一輛新汽車可以值十萬元，一般人穿的西裝是二千多元一套，吃的東西與戰前沒有一點不同，酒雖禁了，但他們仍有法子喝一點「紅茶」「沙漏水」，一樣的「飲茶」「行街」，顧自盡有享受消耗，沒有想到國力的消耗，或者影響到「百年戰爭」或未來的任何變故，而加以消費的統制。

經濟是現代戰爭的主要因素，我們不獨要努力生產，同時也要節制消費，經濟的各部門，都要有嚴謹治標治本的方法，方不致有畸形的利潤之取得，不致形成社會經濟紊亂的狀態，物價逐日增加，亦因商業上利潤之厚而起，但爲保障整個社會最低水準生活需要計，應即確定合法之利潤，極嚴格的統制物價，限制消耗。

生產增加，消費減少，則可以物資取得軍事上必需的器材，以持久戰爭，舶來品減少，可以減低入超，凡此都是抗戰建國主要的主題，我們要用全付力量去處置，俗語說：「天晴防下雨」，我們窮奢極慾的時候，也應該是防死神在四週埋伏着。

七　粵劇的藝術

舞臺藝術是藝術中最富於煽動性的，其表現的方式，亦至直接而經濟，如同現代發達到最高峯的電影一樣，他能於短短的幾個鏡頭，將需要二三百頁來寫的小說中的故事，活現出來，換上一百幾十個佈景，非常寫實；舞臺的演出，則成效差得多了，背景只限於舞臺上幾方丈的地方，佈景亦只能換上三四個，故我素來對於歌劇白話劇趣味都不大濃厚。

我國的舊式戲劇，雖然在異國「大顯身手」，但其瑕瑜互見，是無可否認的；但，究不如粵劇之幼穉，缺乏藝術的技巧，若以此代表廣東文化的一部份，那眞成了問題。近來因爲無聊，無處消遣，也曾因聊勝於無，去看過三次廣東戲，好像是名爲「二叔公搏命」，「地獄金龜」，「慈母烹兒」，我們一看了這些名字，就知道他的內容的一半了。當然，其中脫不了「賣身葬父」，「城下退賊許以嬌女」「入京高中，兄弟團圓」等老圈套，但若演來恰到好處，也未始不是適合中下階層人的心理，而收到暗示的效力。

粵劇的音樂和歌詞，我從未涉獵過，不敢批評，有時還覺得節奏分明，抑揚有度，不過有時以土語插入「你敢抵死」「你唔係有實」之類，是太滑稽無價值了。老生唱戲，似乎只靠大聲，并不重嗓子的技巧，我敢斷言，其唱板之節拍與臺步，必不如京戲的嚴格，唱錯一字做錯一舉動，都會爲大喝到彩，且粵劇近來多出於新編，唱詞的好壞，當然無所根據。最不堪的是戲中忽然插入藍青官話的道白，或一句句伴着木魚而唸的道白，眞是肉麻，戲中的大鐃鈸大鑼，無非欲增強劇中的情緒之緊張，但觀衆耳朵，太受罪了。難道這也是聽覺的快感嗎？揚鞭卽當做騎馬，搖手卽當作划船，兩手一撥，卽當作開門，當然也和京戲一樣幼稚。粵劇中還有在一段做完之後，演員坐在那裏不動，等候其他脚色出來，不久脚色出來了，可以裝作不看見當中的人，旁若無人的大唱一次，大做一次，然後一轉身始作爲看見了，前去打招呼，或申訴，這樣省卻換佈景的功用，是達到了，但離現實太遠呀！太不合理了。尤不能寬恕的是古裝的老生，忽而和短袖旗袍高跟鞋的女子在一處表演；且在同一劇裏，女的可以時而穿古裝，時而穿短袖衫出來（但男的則從不見穿現代衣服出場，顯然是以誇示其金碧輝煌的珍珠衫爲目的了。）

京劇當中很少有趣諧的脚色以取悅觀衆，但粵劇中則一定有一個二叔父，舅父的「白鼻哥」去當滑稽的脚色，志在以土話的對白，引起觀衆的哄堂大笑，有時超出滑稽的程度，簡直是胡調了事，而變極端的文明戲了。

在表演時，演員時常對觀衆表唱或說道白，似乎在向觀衆解釋，不是自言自語，這是絕對錯誤的舉動，做戲是做戲中人，幷設身處地，如眞有其事，無須向觀衆說明我現在是在做戲，故現代白話劇，已不致閙此種幼稚病。

偶然男子化裝爲婆媽，有時說女人聲，而唱時則男音！恐怕是人馬不夠的緣故。

很藝術的小提琴，給他們搬上粵劇舞臺上去，拉得像神號鬼哭，那個發明小提琴的必含冤地下，舞臺上幾十個人頭在佈景的前後攢動，或公然成排的站在演員的後面，那不像舞臺，簡直像在看把戲，這是何等容易改善的事。

進一步來說，在此抗戰最緊張的年頭，粵劇還在表演中狀元，打情罵俏，無關社會需要的玩意兒，實在太不認識時代了。我們有推進文化責任的人，應該爲他們編劇，以抗戰建國爲中心思想，從而改善其他缺點，使粵劇不致再成爲笑料。

聽說粵劇的「泰斗」很多，但充其量亦只能在自己家裏出名得盤天價響，終不能出省門一步。名脚如馮顯榮，新靚就，我都在越南領教過。一切藝術，若不經眞善美的天秤秤過，是無價値的。

中國的歌劇缺乏藝術的價値，沒有時代意識，不能代表華胄的偉大精神，我們爲甚麼不積極的改造牠，爲甚麼還以肉麻當有趣，把男扮女裝到外國去獻醜，還以爲是宣揚國粹，外國人看時當然以看馬戲的心情拍拍手，但回家後必定暗中竊笑，長嘆一聲。

八　機關學校化與軍隊化

現代的一般人，多數都在感慨我國行政效率之低下，事事徒形式，手續，稽延時日，無論口裏說現在是戰時，是非常時期，仍是要「等因奉此」，澈頭澈尾做去，現在提倡學校機關化，實是當務之急，也或是行政改革的先聲。

無庸諱言的，一般的機關多是有人尋事做，不是有事尋人做的現象，故有一部分人，莊閒着無事做，每日簽到，月底領薪而已，正所謂辦公廳的三部曲；吃煙，喝茶，看報過日子，就是做起事來，也不肯負責，甚麼都要簽呈，把責任推到上司身上去，與各科各處有關的，一定要人家蓋上一個圖章，來分擔責任，甚麼辦事細則，賞罰條例，皆很齊備，起草時很認真，一字一句都要修正，公佈施行，但公佈後，則不認真執行，等於具文，於是人家也就忽視這些條例了，（好像歐美人對於條例比較能實行，不敷衍。）記得有一個專家，在廬山訓練報告他統計過，每一件公事，若由縣政府呈上省政府，又由省政府批回縣政府，足足要經過五十六個人的手，這樣多的手續，當然是光陰的浪費，和辦事之不重實際，以前在南京就有過行政效率委員會，去研究如何改良公文程式，及施政方針，但結果公文仍是一樣煩複冗長，好像我們永遠跳不出「等因奉此」的圈套，雖然大家都在埋怨苦悶，難道我們沒有改良公文的能力嗎！

嘗見外國人的大衙門或大公司，任何公事要件，只由長官口授，書記速寫，然後將稿呈閱，許可後即由書記打成兩份，在信的上角，記上編號，在信的下角，記上書記名字的簡號如WFT之類，然後長官簽字，就發出，總共不花半日的工夫，那裏像我們要收發，登記收，登記發，擬稿送祕書修改，劃行，繕寫，校對，監印，蓋關防等手續，至少花上四五天，纔能發出去，一般行政的遲鈍之通病，是大家所熟知，此地也無須詳細敍述。

鄭彥棻先生所提出之研究，考核，紀律，朝氣，情誼，公餘生活六項問題，當然很切要，但須執行得切實，絕不敷衍，方能根本剷除平日積壓的惡習慣，和暮氣。

我最佩服的是軍事管理的機關或部隊，我以為機關學校化之外，還要加以軍事管理，最主要的是絕對服從，及迅速，確實，明瞭，此四樣大原則，若嚴格實行起來，則我相信一切積弊都可以剷除，一切敷衍，老大，遲鈍，暮氣沉沉的現象，都會消滅，漸漸振作起來，現拿廬山訓練團來做一個例子，當時齊集一堂的，是四方八面來的白面書生，校長，教育科長，平日生活當然是很自由，很鬆懈的文人，但到了那裏，一切軍隊化，命令一下，即刻要歸隊，吃飯只限十分鐘，早晨四點鐘一律起床，還要做整齊的內務……於是弄得個個精神緊張，連聲叫苦，日子久，也就可以由習慣成為自然，無形中變成有紀律，有朝氣的人了。若非軍事管理，則怎樣三令五申，也不易管束這些老爺們的。故我相信機關軍隊化，實與學校化一樣重要。還有一

九　可憐那一千二百萬華僑！

在廣州淪陷以前，一般人的判斷都說：敵人正在武漢外圍血戰，必不願分散兵力在華南多闢一個新戰場，同時顧忌在南方一啓釁，會與英法國發生磨擦，（正如說：日本勢力在長江伸展，必引起與英衝突一樣，結果風平浪靜逆來順受。）終於敵人不怕多闢一戰場了，在去年，許多法國人說：日本人必無意於侵犯越南，他們在中國已佔據了如許土地，還不夠嗎？結果敵人如狂風暴雨般襲來，予取予攜，越南殖民地政府，於沮喪之餘，也只好說：「我們等待各方的援手，但終無應者，大家須知，將來蒙受其害的，不止法國一國」了。現在很多人猜測着說：敵人看見美國態度日益強硬，似乎時機到來，則不惜與日本一戰，因此不敢冒險進攻荷印。但我敢相信日本必取荷印，因爲荷印是「日本的生命線」，眼見美國國防法案通過以後，必將施行全面經濟制裁，不得到荷印的資源，則日本只有等死，此外是海軍軍閥，至今尚未建樹奇勳，實在忍不住要動手了。日本人不怕危險；是牠的民族性使然，他們可以因睚眦之怨而殺人，可以因戀愛而剖腹，不像我們只求中庸。當然，南侵尚須相當準備，如改善日蘇關係，佈置台灣海南越泰的軍事根據地等，停當好了，一定備合德國的進攻，東西同時大舉。有人以爲松岡赴德，必觀察德國之實力，是否可以取勝，然後決定南進與否的大計。這個觀察，未免

十　從文藝晚會談到社交

中國人所謂社交的名詞，大概是十餘年的事，因爲五四一切解放以後，纔有所謂「男女社交公開」的名詞。在公開的對面，當然是閉關，故以前是授受不親，那能有摩肩接臂的跳舞，那裏有男女合奏的音樂會，及男女合演的話劇，那裏有男女同游的游泳池，以前只有官場的應酬，見了面作作揖，說一句「今天天氣哈哈哈」，或「很忙嗎」？「還好」！「沒有什麼事」！

「吃過飯了嗎」？到現在這種惡習慣，還是保持不放，令人看了短氣。如請客的時候，多數不請女客，有了女客，很多人不予介紹，好像介紹了，會出亂子，或存不值得介紹之意，有些故意裝闊的，只吃了幾樣菜，就說：少陪了，還有應酬，只表示他社會地位的重要，實則說不定他回去睡覺，沒有吃飽，回去還要吃點心。還有一點，是吃了飯，即刻像奔要似的凳子都不坐，即刻大家作鳥獸散，好像他來吃飯，是給主人大恩惠似的。總之，處處表現出虛僞，自私，和無聊習性。人與人之間，壁壘很森嚴，好像時時防備人家是壞人或太熱了，怕人家沾他的便宜，老是關在家族主義的圈子裏，沒有一點團體生活的習慣，故凡事若與他親屬宗族關係的，則事事可以通融幫忙，一遇團體或公益的事，他則僅有敬而遠之，所以社會愈弄愈糟糕，自私，棘手，虛僞，沒有公德心，（歐美若遇見有人跌倒，或病倒在路上，卽刻有自告奮勇的人，來送他扶他，或出錢幫助！我們看見人家跌倒了，反哈哈大笑一陣，路上看見呻吟路旁的人，還是昂首而過，就警察也裝作不看見省得麻煩，這樣的社會人羣，實在太不文明，太令人可怕了！什麼時候才能教育我們成比較文明的人呢？）西方人的社交還是美國式的最值得提倡，（英法人還留存不少貴族階級氣味），很容易介紹男女朋友，認識之後，很無拘束的談笑，和遊戲，久些的就互稱小名，宴會之後，必定來一個很久的餘興或談笑時間，大家見一二次之後，就成爲好朋友了，感情融洽之後，有什麼事辦不通呢？所以美國人什麼部行，時間不浪費，公事不敷衍，塞責，很多事打一個電話就辦了，不像我們動輒備公函作證據，口說無憑。

現在流行的晚宴，大概淵源於法國的 Soiréf，是很值得提倡的，或者可以改造人們這一代青年的舊頭腦，尤其是文藝界也應該借此多多互通聲氣，聯絡感情，免致動輒文人相輕，自相傾軋，這種作風影響社交前途很大，我們不可忽視。

十一 漫談婦女問題

女性自從脫離母系社會以降，眞是每況愈下，漸次被男性中心社會抑壓着，幾乎透不過氣來，雖然經了幾世紀的掙扎，環境還沒有改善，參政的事實，還是很不普遍，女子始終居於附庸的地位，沒有毅力氣節的，便流爲男子的豢養品，玩物，無形中世界人口之大半，是消費者，還影響於人類進化，當然是很大的。

德國人趕女人回到廚房裏去的三K主義，(Kirche 教堂 Kinder 孩子 Küche 廚房) 眞是蔑視女性之荒謬理論，德國人以爲女子不會打仗，能力薄弱，只配回到廚房教堂去煮飯，誦經，當小孩子，但我們敢說，男子亦很多是無能力，只能在人羣充任賤役的女子之所以沒有社會地位，是由於數千年來男子的壓制過甚，使她們抬不起頭來。她們在歷史上和當代於人類文化有貢獻的，也指不勝屈，或爲人傑，或爲天才，如埃及之克列荷拔禿拉，中國之武則天，慈禧太后，英國的維多利亞，荷蘭之威廉赫明娜女王，法國之居里夫人，諾亞姨女詩人，史泰爾夫人，美國之賽珍珠，及勞工部長，蘇俄之女公使柯倫泰，甚至核米爾頓夫人，彭八多亞夫人，瑪丹薇麗，敵偽土肥原的助手川島芳子，都是能力超過男子的，她們不過全憑自己的魄力天才，從男子的鐵腕中奮鬪出來，她們的成功，是帶有血腥的，當然，不得時機被埋沒了的天才，尚不知有多少。

一般人都說女人之所以不能擔當男子所做的事，是因為是生理關係，我不同意這個解釋，「客家」女子皆能做許多男子望而生畏的工作，如肩挑百斤，能行一二十里，食稀薄的營養物，在烈日下工作四五小時，這是一般養尊處優的白面書生，所能望其項背的嗎？故可以說現在女子之孱弱的，完全是人為的結果，現在的摩登伽女，貴婦人，每日沉迷於飲食遊玩的玩意兒，上下汽車還要男人來扶助，這樣什麼體力也會退化淨盡，當然是強者亦變為弱者，故可以說一般安居在都會上，靠脂粉來維持自己的美態，靠性的引誘，來換得男人的供養，是不光榮的，但她們安然在都會上過其快樂的一生，在鄉野的女性，則永遠掙扎昏迷於禮教壓力之下，過其地獄似的生活，永遠沒有人看到，她們也噤若寒蟬。

中國舊日的吃人禮教，三從四德，七出之條，雖然是為大部份所唾棄，但在舊社會中，仍是支配着整個人生，不肯放鬆，使人浩歎。中國的婦女運動，也出過幾個健者，但都好像是以這運動為達到名利地位的工具，「敲門磚」，個人成功後，則高高在上，忘記自己的同類之呻吟疾苦了。所以婦女運動，始終斷斷續續的不能發展。

娜拉劇本，介紹到中國來以後，曾激起了不少女性的醒覺，但不知是不是男子更大的壓力，不久以後，這問題又被人遺忘了。中國委女子做縣長，只有過一次，難道她們做縣長的能力沒有，只是我們男性，成見過重，不肯放鬆而已。現在情形變了些，女性做起參政員，參議員的也不少了，負了這個重托的女性，就要努力的表現出自己的政治才能，以倘弱從前男子藐視女子能力的心理，當然，一面不忘改進女同胞一般待遇及地位問題，譬如現在女子在社會上做事，都是居於次要的地位，很少女子做到長級督的，活動些的，則稱之爲「交際花」，「交際樹」，「男人婆」，美麗點的，則稱爲「花瓶」，對於肯努力服吃苦的女政工人員，又諸出許多諸嘗，和蔑視的觀念，（她們的待遇，實在太苛刻了）這全是男人做出來的圈套，好像女子應該永久做她們的奴隸，玩物，不許翻身。

在這問題上，若希求改進，當然女性自己要努力，束身自愛，總能做得到，常常看見有些人，年輕的時候，很發奮的求學向上，甚至在外國留學十年八年，專門一種科學，但一結婚以後，則什麼都拋棄了，終於成了廚房裏一個平庸的女人，這不是社會的浪費嗎？女人結婚後，有了兒女的拖累，沒有餘錢來請奶媽的，當然是影響到爲社會服務問題，故國家若沒有公育兒童的制度，則女子始終不能到社會上與男子爭一日之長。

中國規律定「一夫一妻制」，但事實上娶妾及「頂兩房」的，仍是很多，男子可不專一，女子則須專一，這是何等不平等。在男性中心社會，女子只好吞聲飲泣，若沒有更周密的法律制裁，則慘劇及不人道事，仍當層出不窮。

因爲中國逐漸歐化，中國新女性成了歐洲式的貴婦人，也不知多少。歐洲尊重女子過甚，就是女子墮落之階，什麼都是 Ladies First，脫外衣也要男人援手，上落車也要求，否則被認為無禮，一切生活全由男子去供奉，只要天天以人工打扮得花枝招展，好像承認自己是寄生的，不勞而食的。嚴格說起來，不是很難過的人生嗎？歐美貴婦人的生活之「無所事事」，說起來真是驚人，（這裏也不能詳述）這樣只消費而不生產的人，不會影響人類進化是不能相信的！

歐美人之尊崇女子，（實則認女子為弱者，而存鄙視之心，）可以說是由於自由戀愛而起，什麼文藝作品，都以描寫真愛情為題材，把女子捧到三十三天，人生好像有了真正愛情（其實永遠找不着），人生就有了意義，有了歸宿什麼都可以犧牲（當然是文藝暗示的結果），中國現代人也受了這種影響，而漸向這條路前進，我以為這是歐美個人主義太發達的緣故，每個人都覺得國家與我關係鬆懈，無可愛戀，父母因家庭制的經濟，各人獨立，（有時父子亦要算賬，子住父屋亦要算房租）的結果，感情亦淡泊了，假使回去，亦只盡義務的去訪候一次，無可眷戀，兄弟親戚，亦各有壁壘地盤，各自為謀，於是覺得人海茫茫，一切皆與我疏遠，只有妻子可愛，女人可愛，於是永遠在戀愛中翻筋斗，這樣就注定了現代新女性的命運。

二十五於韶關

十二　憶法國海濱

一個人到了中年以上，無論遇到什麼事發生，都油然發生起感嘆來，原因是雖然活了不過幾十年，(已是人生的過半數！)實在看大千世界的形形色色，盛敗興衰太多了，譬如想不到素來以譏笑我們無五分鐘熱血的法蘭西人，不旋踵已飽嘗亡國之痛，現在還在敍利亞自相殘殺起來，又如一個炙手可熱的富商，在都會上建下價値十萬元的大廈，有防空壕，有電氣冰箱，有收音機，有士刁碧架大轎車，他的狼犬死掉了，也要做一個銅像，放在狗墳上紀念他的忠僕，不幸廣州淪陷敵手，琳瑯綺麗的別墅，也給獰惡的短手短脚的倭寇佔據去了，他不幸在退出的途中患病死了，留下半打的子女嬌妻，現在困頓在鄉下，過其未亡人淒苦的歲月；又如一個輪船上的翻譯員，夤緣而爲留學生，不出十年做起公使來了，……這些形形色色，幾十年來像走馬燈般，在我們眼前一幅一幅的溜過，我們的人生又像一塊照相的乾片，無數的遠景近景，層疊印上，再也分不淸楚前後左右，我們閱歷已深的人生，就是這麼一件東西。

上次聯軍在法國北部敗績，造成敦克爾克的慘劇，我無意中在報上看見有一隊殘餘的戰士，在法國北部聖凡拉利頑抗的紀載，使我頓然憶起那是我在一九二四年在那裏遨遊過的地方，展開地圖一看，只是像蒼蠅糞般一點，一個爲人忽視的地球上的一個角落，想不到牠亦遺兵燹之禍，回想十七年前的日子，眞令人「感慨繫之。」

一個克勤克儉的靑年，無日無夜的在擔心着自己的將來，更沒有勇氣能力，學暴發戶或經濟充裕的官費生，或督軍的公子到法國南部或聖馬樂去過豪華的避暑生活，因爲同學的慫恿，經過盤算，以用費不超過在巴黎的生活爲原則，於是選了距巴黎最近，地圖上畫得最小的聖凡拉利爲目的地。那裏距離英倫海峽很近，若能找到一個高崖，也可以像拿破崙或希特拉一樣，遙望三島感喟一下。那裏因爲沒有優美像靑島，淺水灣的沙灘，還是爲人見棄的主因，漲潮時，纔能游泳，潮落的時候，是一塊多碎石的淺渚，那裏的水，不是碧綠的漣漪，而是有木葉樹枝，載浮載沉着的黃泥水，依稀的印象裏，彷彿記得有一道人造的長堤，薄暮時，我們常常散步到堤的盡頭，談着笑着，直至海風砭人肌骨纔興盡回去，好像暫時出了人海搏鬪之場般安靜。

離巴黎不過三點鐘火車，距倫敦也不過幾個鐘頭的海程，迄今還懊悔爲什麼那時這樣傻不想到倫敦去觀光一下，但人生這樣無意造成的傻事多着哩，我住在巴黎五年，還沒有登過一次鐵塔，那裏的房東太太，終身還沒有到過巴黎，雖然只有三點鐘火車路程。

久困巴黎拉丁區的人，在鄉下小住，眞有意想不到的趣味，同時我們可以擔保不是像一般小布爾喬亞，特地到海濱親戚家（假如有的話）住幾個禮拜，盡量寄一大批的明信片給親友，表示自己有力量到海濱去避暑，我國人則多裝窮，外國人則誇富，這個人生觀的立足點，又是否有一番真理。

我們住在一個市民家裏，那房東太太是侍女出身的，（姑稱她為太太。）因為她服務半生的女主人死後，沒有後裔，感於她生平之忠厚，遂將小小的房產送給她，做了天外飛來主人，這樣的例子，在中國恐怕是少見的。她的丈夫亦是做僕役為生的，他不識字，常常為人雇用到十里八里外的貴族別墅中去整理客廳，打掃地毯，有了這個專門技能，所以她們過着甜靜的日子。她為我們燒菜，洗衣服，有時我們在門口購得很廉價的蝦子，自己沒有炒蝦仁的經驗，房東更不識炒蝦仁為何物，所以只能把蝦子連皮帶骨和麵粉炸蝦餅，但是吃不上幾個，已經厭了，若遇到中國廚師，準可以大顯神通了。

那裏的小螃蟹，真是數千數萬，沒有人要，若是遇到中國人，安南人，真會如獲至寶，（安南人喜歡將小螃蟹，搗成肉醬，然後蒸過，但是那黃青色的外表，顯然是蟹膓蟹黃合一爐而治之，其滋補可知了！）當你閒行沙灘上，腳之前後左右，有許多小穴，只是黃豆般大的，有經驗的，就知下面是藏着一個螃蟹，若你一不留神，踏着一個穴，在腳底微微的聽見破裂的聲音，使你知道有一個小生命為你殘害了，心頭非常難過，或者唸一句阿彌陀佛。這些小生物，以牠的本能去求生存，在沙灘上，看着有龐然大物的人類行過時，既無石又無洞，牠怎樣去躲藏呢？但見牠用爪向地層亂爬，於是身體漸漸的向微濕的砂中隱藏淨盡，只留一小孔來呼吸，我常常用腳打地向四週發出恐怖，看牠們工作，其味無窮。

這裏遨遊的，多是小市民，小布爾喬亞，沒有巴黎的實業巨子，沒有紅極一時的電影或歌舞明星，沒有羅曼司，沒有一切。但是記得在那裏，認得一位慈祥的捷克籍的德國女人，挈着她的女兒，亦來到這爲人所忘卻的小城市，後來在巴黎還時時來往，她的女兒，居然和一個姓楊的同學戀愛起來，後來怎樣結果，也記不淸了。說到羅曼司，又想起一個很浪漫的同學，獨自一個人到華貴的海濱去避暑，很順利結識一個女子，居然雙棲雙宿，也在舞場裏蹁躚，有一天，忽然有一個男人走來說，她是他的未婚妻，怎麼他敢與她「厮混」，那個同學怕對方動起武來，連忙說：旣然是你的，則你帶去。說罷就「兩脚打背」，溜之大吉了，這是他自己告訴我們的，可見法國浪漫淫蕩的氣氛了！

聖凡拉利啊，十七年前，我曾在你瘦瘠的懷中，做過美滿的綺夢，夢想過怎樣擴破事業的鐵柵，怎樣攻打名利的堡壘，可是現在我得來的是兩鬢如霜，孱弱的心，幾乎要停止呼吸，你呢，你也飽經憂患，眼光光看着幾千幾萬的衞國英雄，在你跟前停止氣息，我翹首西望，不禁爲你長歎一聲。

小說

一 一個女性的三部曲

一 孤雛

正是陽春三月天氣，圍繞着羅衣村的峯巒，像花冠般成一環形，延亙數十里，蒼翠欲滴的修竹矮林，充滿着數不淸的詩意，只是那裏居住的多是村夫野老，生於斯，死於斯，對於呆立了幾萬萬年的山峯，除發生一些有無「風水」的觀念外，什麼也不會感覺到。近幾年人心有些不同了，庸人自擾之徒，忽然在高嶺上鑿下數千個小洞，說是種桐生產，好好的在像生了綠髯的饅頭山岡上，刻下一個個的傷疤，遠望去像受了戒的和尙頭，這給頑固的父老詛咒了不知多少次了。

這些岡巒山谷，是這村人的生命線，他們的燃料向那裏取之無禁，用之不竭，只是要怕烈日遠路的婦女，冒着荊棘叢生，懸岸峭壁，去肩挑回來，她們的工作程序，是當八九月農忙過了的時候，她們便成羣的到山上去，將草大量的割下，放在半山上晒乾，然後挑起來輕便多了。這些地方，也是禮教壓迫下的女性比較可以自己呼吸空氣的場所，她們可以盡量唱着情歌，或懷念她們一去南洋十多年不回來的丈夫，或嗟嘆待遇刻薄的翁姑，這些歌聲，自然吸引了混雜前來，因此這些地帶，就成爲桑間濮上了，有時也會鬧成爲兩族械鬥的主因。

綠油油的隨歡稻苗，隨着輕緩的微風動盪，像輕鬆的海浪，週而復始，好像永無休止，透過層雲的微温的陽光，盡情放射紫外光，給物勃有生氣的萬物，除隱約有一些田間流水的聲音外，偶然可聽到一陣冬眠初興的青哇在唱和，這些這些，撩人春思的景色，下意識地觸動了菊英的無名的愁思，要她說出是什麼具體的悲哀，又說不出來，總之今年的日子，她知道不是去年可比了，今年的生活，必定會有一種新的遭遇，也不能說一定是什麼，大概離不了輟學出嫁，這些範圍之內。因爲自去年重陽節，她的父親因爲擔保土匪案病死獄中後，她的家境就一落千丈，她的母親早已決定她不必再繼續在小學讀書，她的年紀也不小了，在學校裏整日和十五六歲的男孩子廝混，早已有人飛短流長。所以那裏的女性，簡直沒有受中學教育的機會，男孩子能夠讀到大學的，是等於從前的翰林般看待，不可一世，至於留學生，那簡直是狀元階級了。可惜祖宗積德不夠，自辛亥以來，還沒有產生過留學生，於是這個部落永遠是山高皇帝遠，風氣永遠是閉塞，他們所特以傲人的，是茹辛含苦自南洋賺來的錢，或祖宗遺下來的大屋。

菊英雖然是到達十六歲的芳齡，但除了增加點羞人答答的嬌態外，舉動說話，還不脫小學生態度，因爲初離學校，還沒有受過太陽殘酷的洗禮，面部還保持着少女鮮潤的顏色，淺藍的短褂，遮蓋不住開始豐滿的肉體，她迫不得已的，捲起褲子露出白皙的膝頭，在田間耘草。她開始失去童年的綺夢，她幻想到從今年起，大概就要如其他千千萬萬「客家」婦女一樣，踏進艱苦的命運，在這萬山叢中的角落裏，過此一生了。她的想像力雖然不夠集中，去預測一切未來的遭遇，但不知不覺，她嘆了一口氣，像對誰申訴哀曲之後，得到一點慰藉似的。忽然一個老婆婆的聲音，對她說：

「阿菊，怎麼你女學生也下田做細（工）了，不要石灰水浸壞了你的一雙姑娘脚啊！」

她抬起草笠一看，原來是村裏最長舌的黃冉婆，她心頭雖然很討厭她，但不想表露出來，於是勉強說幾句話，這個妖婦你不好得罪她，因爲她是一族中最活動的份子，幾乎男女老幼都討厭她，但是人人都怕她，因爲她最會播弄是非，可以弄到你在這個封建社會中，體無完膚，或甚致不能立足，或家破人亡；她有神術，可以替病人求仙方，可以「贖魂」，可以帶已死的親屬回陽間來見面，談家事，維妙維肖，絲毫不爽，直至你潸然下淚；他擅長做媒，她鼓其如簧之舌，沒有婚姻經她出了馬，不成功的，故她的英名，在一百里之內，是無人不知的。比方有一次，一個再醮婦，經一個媒人介紹想嫁給一個新加坡「水客」。討論了很久，始終因爲「身價銀」相差二十元，兩不相讓，幾不能成事，後來當事人想到不如求救兵於黃冉婆，於是她走來一看，問明原委，她胸有成竹的，在水客背上一拍說：「你堂堂一個大丈夫，有錢娶老婆，還在乎一二十塊嗎？至於你，（指女的）還這樣年輕，價値也不是値一二十元的問題，現在聽我說，各人讓一步，二百六十元成交罷！」這話果然引動了兩方面的自尊心，就此成交了，兩塊光洋的媒人酬金，遂琅琅地在黃冉婆口袋裏了。

她對菊英起初說些不關痛癢的囉唆話，給菊英不勝其煩，和她攀談了一會，末了她竟然露出菊英的母親已委託她找尋人家，現是已有頭緒了，這幾句話打進菊英的耳朵，不獨使她滿面通紅，羞不可仰，說不出一句回答的話，而一陣從此失學，一步步踏進黑暗歲月的悲哀，油然湧起在她心頭，不覺掉下幾點熱淚在田裏的水草葉子上，黃冉婆恐怕她哭得厲害，不好下場，不一會偷偷的溜走了。

二　苦悶

菊英的婚事，已偷偷摸摸地到了決定的階段，她母親或其他任何人，也不曾來徵求過她的主意，她這樣年輕的小妮子，一聽到人家竊竊私語，她就知道說的是她的婚事，早就避之唯恐不及，那裏還有心緒和勇氣過問，這種切身而又難爲情的事。

男家是楊樹村的陳東甫的第二的兒子，說起陳東甫一族在他們心目中也可以說是書香之家他祖父是一個舉人，他父親是一個貢生，一代不如一代，傳到東甫不能一青其衿，半生在城裏宗祠內做起謳棍，來食了不少人的冤枉錢，在鄉下幾十里內，當然也算是聲勢赫赫的劣紳了，菊英能夠做的媳婦，誰說不是一個幸事呢？他的兒子長康，去年夏天在縣立中學校高中部畢業，在鄉裏青年當年，也算是佼佼者了，當他父親沒有回家來的時候，族人有婚喪祭葬的文件，並找到他是辨不淸的，沒有經過他的審核，發出去準會出毛病，給鄰村的人譏笑的。他的父親打算叫他到廣州去造成一個大學生，不論什麼大學，只要是大學生，他就可以每年領祖宗蒸嘗五擔的學穀，實利主義的陳東甫，早已着眼到這一點，可是不幸得很，長康剛要動身出廣州的時候，忽然發起厲害的瘧疾來，臥在床上發熱發抖，毫無辦法，什麼草藥都吃過了，後來幸得一個姨丈的兒子，從南洋帶回來的什麼萬靈丸，吃了幾個，才得起床，這個神奇的「靈丹」，傳遍了全個村落，但等到其餘患瘧疾的人想狩吃幾個時，又沒有了，只好任敗血菌去生殺予奪，任病人自生自滅。

長康的婚事，本出於東甫意料之外，其動機全係出於長康的母親抱孫之念，她以爲已然長成要到省假繼能出門求學，閒居在家，不如爲她娶妻，一來可免將來出門讀書一去三年五載，沒有家室，會在外邊自由戀愛，娶一個廣府婆回來，那就糟了；第二娶了妻，可免每日跟那些游手好閒的少年人游山玩水，鬧起玩女人的事件來，或整日價無聊聚在「賭館」裏打麻雀，賭天九牌，抱孫的念頭是附帶的希望罷了。有了上邊許多理由，東甫也只好答應這了向平之願的大事，雖然長康不過是二十一歲，但在早婚慣了的集團裏，一些不覺得早。

婚禮是在一個晴天下午舉行，有着種種可笑的儀節，令人目不暇接，菊英以又驚又愛的心情去接受一切，雖然十六歲的身軀矮小的可憐，隨處表現出她發育未至完全的田地，她終於成了人家的媳婦了。

她對長康這個準大學生，又是一族的一表人才，復出於初戀的心情，對他也表示敬愛，但這個心潮，似乎因爲她怕說話不能使長康感覺到他那裏懂那天眞無言的愛呢？

楊樹村的媳婦是不易做的，不論是做個女學生，或沒有做過，都是一視同仁，對家姑是要服從的，赤着脚上山採柴，暴着烈日往稻田裏工作，農忙的時候，一早就開始動作，一捆一捆的割下稻子，往家裏送，堆在廣場上一直勞動到伸出五指看不至，還在那裏收打下的穀，一面要將稻苗綁成一束一束的，拖到空曠的草地上去，預備明日太陽把牠晒乾，男人們在那時候自以爲斯文的，一味躲在書房裏，看三國或午睡，偶然出大門一望，也惟有皺起眼皮，對着太陽發楞，最可憐的是小孩子，雖能力不足，也要負擔一部份工作，忙個不了，到了深夜，還沒有人弄水洗澡，同時眼睛幾乎不自制地想合攏來，情願夜粥也不吃，自己爬到床上睡覺去了。

菊英在娘家的時候，因爲她母親田產不多，而且過着女學生的日子，對於農事實在沒有參加多少，但這一個夏季收穫，使她無日不疲於奔命，全身的骨節酸軟，一碰到床，幾乎就昏然入睡，她與丈夫因爲是年輕的夫婦，在白天碰見怪不好意思說話，到了晚上，長康偶然深夜的時候纔回來，或者他老是住在書房裏，幾天沒有說上一句話，誠然，菊英雖然對丈夫懷着一種初戀之愛，且因嫁到這裏後，不認識一個人，丈夫總算是比較可以談談心事，可以信賴的，但似乎長康對她始終鼓不起熱情，也不知是嫌棄她學問智識不及他，還是他因爲身體不好總覺沒有一點活潑生動之氣象，這給菊英寂寞的心，一種無名的威脅，做媳婦妻子的時光還無限的長，那豈不是可怕嗎；假如環境老是這樣。

新婚以後，長康沒有領略甜美的歲月，他終日跟一般青年，或南洋回來的水客們打麻雀，有時在那闊不到兩丈的小舖子裏，（那是全村的俱樂部了，）談天說地，東拉西扯，言不及義，當然他準大學生的威嚴，早給他們置諸腦後了，每時都要談玩至午夜纔回家，似乎樂在其中，讀書上進的觀念，恐怕早跑到九霄雲外去了。

長康自從患厲害的瘧疾後，沒有好好調養，滋補，身體已消瘦成白面書生，三個月來，又天天早出夜歸，跟無聊人的鬼混，身體茁條得可以了，或許他早已有咳嗽，暗地裏蒙昧着，連東甫夫婦也不知道一點，菊英已幾個月沒有跟他談過話，當然更無所知。

一個初秋的早晨鄉野的霧幕籠罩着村前村後，使全個農忙後的農村，更形靜寂神祕，偶然一二個不祥的烏鴉，在房後掠過，一種不可解說的凄消情緒的威脅，幾使菊英要流下淚來，她自出嫁後，只見過一次的母親，一種思親的心情，在此時忽然襲擊她，她正想牽着牛到水塘裏去了，忽然聽見書房裏湧出一陣咳嗽的聲音，接着又聽見長康呼喊着他母親，但許久沒有人去回答它，於是菊英疑心房裏有什麼事，她硬着不好意思的頭皮，跑進去看，幾乎使她嚇得一跳，原來長康的床前，渴下一大塊血花，狠藉滿地，一種猩氣，令人作嘔，她能說什麼呢？她只得跑出來，去找別人，她像一個無頭的蒼蠅，手足無措。

長康患了第三期肺癆的消息，不脛而走遍全村，同時給東甫全家，一個重重的打擊，沒有人有什麼的主張，沒有人有什麼辦法，偶然有一個很有自信心的老婆子說：童便和雞蛋同食可以治癆，或者直接吃火水油也聽說吃好了不少人，陰那山祖師的神方，也去試過，但都沒有一些反響，長康似乎一些不悲觀，這是所有的肺癆病者的通病，總以為不久就會痊愈，又來做他的事業！但是一個清晨，當斑鳩正在房後竹林中呼喚伴侶，鄰家的少婦挑着農具在坭墩下小道上蹣跚，長康的房子裏發出一陣咕咕的怪聲，東甫的老婆，聞聲跑進房裏來，看見情形大不對了，長康兩眼朝天，眼球深陷，喉間咕咕作響，好像給一塊肥肉塞住，到了這個時候，她纔知道她的兒子是病危了，這時要追悔不早日放他出廣州去考學校，留他在家裏結婚的錯誤，也已太遲了，長康想說一些話，但一句也發不出，只是用手指指點點，他們覺悟到或者他想見他的妻子的最後一面，於是他們叫菊英進來，怪不好意思的，站在床前，與長康面面相覷，彼此一句也說不出來，只是熱淚一點點的從菊英面龐上滾下來，她的手給長康握着（這是從來沒有的在第三者跟前大膽的動作，）雖然是自己的丈夫，但一想到不久就會幽明異路，幾乎害怕起來，想將手擺脫，奪門而逃！形勢一刻一刻的不像樣，比較有經驗的鴻福嫂說：生癆死癲（痲瘋），最會傳染人，患癆的人斷氣時，要把一塊煎好的雞蛋封住他的口，就沒有危險。他們照他的話去做，長康就這樣的兩腳一伸，停止了呼吸，頓時全家人放聲大哭一場，響遍數里，像村裏發生了火災似的。

三　淨土

菊英這樣年輕，就做了寡婦，實在出人意料之外，雖然她年紀還輕不會感到什麼大悲大痛，但自丈夫死後，家姑對她的態度，比以前是沒有那樣客氣了，有時在園地裏工作，總不免囉囉唆唆，說這樣不對，那樣不對，顯然是故意的挑釁，使菊英大有坐立不安之勢，後來從旁邊人口裏聽到，原來長康死後，東甫的老婆時時向人宣揚，她的兒子是她媳婦害死的，她是不祥之物，這個消息使菊英痛心，但沒有多少同情她的人，她的苦衷向誰訴呢？

不知不覺，半年的光陰在含苦茹辛中過去了。

有個好事之徒王聘嫂，有一天在挑水的渡頭對她說：「長康嫂你老是愁眉不展做什麼……『老公死了老公在，三叉路上一大堆』你這樣年輕，又生來嬌的的，識得蠻多的字，你怕找不到一個好人家嗎？……陳家又有什麼稀罕，你看那訟棍一死，看她們還能吃幾年快活飯……你得空，去見見胡二叔婆，她會好好的給你說道理的……」

菊英早就討厭這個長舌婦，聽了她開始說話，就想逃走，但怕使人難堪，不知怎樣，又停止下來，雖然不會回答她半句話，但開始覺得這一番話不無多少道理，給她靜寂的心，掀起一陣波紋，緩緩的如浪般開展，開展到遠方像無止境。

幾月來，菊英無精打彩，也不想工作，什麼也覺得滿不在乎，別有懷抱，東甫嫂似乎看出她的態度，於是彼此磨擦愈甚，漸漸居於不兩立的境地……不久村裏的謠言也來了，說菊英志在改嫁，存心不軌，改嫁是這惡的禮教視爲大逆不道的，貞節的觀念，根深蒂固的，在每一個老幼的腦子裏，丈夫死了，不論年紀十七十八，或二十三十，也得守寡終身，有了兒女，固然要守終身，縱使沒有也可以買一個嬰孩做螟蛉子，以便將一生的希望寄托在那裏，但有幾個用金錢買來的螟蛉子，是有作爲的呢？有時不獨不能給守寡人以幸福，反而爲非作惡，傾家蕩產，給年青的少婦，白捱幾十年苦修的歲月。

東甫當然也服從族中長耀的提議，想買一個螟蛉子給菊英，等她有心機去安身立命，免致脚踏兩板橋的鬼鬼祟祟過活，菊英還年輕，什麼煮子媳過活，怎樣守寡過遙遠的日子，與她似乎很隔膜，「吃兩井水」，在她的舊頭腦看來，也不是很名譽的事，但她下意識抱覺出在陳家她是無法再活下去，周遭的人，好像對她睜着仇視的眼，丈夫死後，好像頓然失了保護人似的，雖然長康生前於她也不曾怎樣保護，親愛，但他畢竟是族中的要人，人家是聯帶尊敬她的。

一個深秋的黎明，她偷偷挑着自己的用具，衣服，回到娘家去。

這個消息一經傳播，整個楊樹村的人，像打了嗎啡針，又高興又憤怒，陳家竟然敢出這樣一個膽大妄爲的女子，實在太不成話了，這族的女綱，非整頓一下將不可收拾，村尾何阿爷的老婆，行爲不端，不是給他們打斷了腿，痛快地賣了，她的丈夫，還得了三百元身價銀，問起伙食店來嗎？

　未有雪中送炭，只見雪上加霜，好事之徒，硬推測造謠說：菊英跟姦夫逃跑的，一定是以娘家爲窩藏的地方，於是一呼百諾，不期而集的男男女女二三十人，當然自認爲有打手或毒辣的資格的，纔敢參加，有些女人，暗地裏帶着做布鞋用的鐵錐子，俗名叫做九龍鑽，那是對付女敵手最好的武具，也是這封建社會的人們的拿手好戲。

　他們在菊英娘家，如狠似虎地要交出人來，那羅衣村的張姓，本來是人口薄弱，對這些搗亂的人，當然沒有法子抵抗，終於將躲在鄰家的菊英，交給他帶回去，這個待人宰割的羔羊，一味抽動着肩膊在哭泣，面如土色，沒有一個娘家的父老，敢出來說一句公道話，雖然大家都知道陳姓人的私刑，是著名的，菊英這次回去不是好玩的。

　他們一羣暴客，看見張家一點抵抗力都沒有，也似乎油然生惻隱之心，他安慰菊英的母親一番說：帶回去，當然會好好的看待她，只要她安分守己做一個好人，什麼事都不會發生，實則那些鬚雄之徒，早在暗地裏發出獰笑，心裏知道，一般獸性怎樣得到機會，在菊英身上發洩了，菊英愈是觳觫可憐，他們愈是興高彩烈，今日又能夠在他人的妻子，平日自以爲美貌驕人的少婦身上做文章還有什麼更高興更便宜的事麼？去年上陳富孫的妻子，好人不會做，與鍾姓農夫發生曖昧，給他們痛打一頓，忽然暈倒，幸得陳四狗見識多，即刻叫人潑下一盆冰冷的水，才把女的救醒，不致鬧出人命案，這是他們談起來還眉飛色舞，想不到今年又有這一場把戲，雖然有一部份解釋為陳家「風水過代」的現象，族網前途不可樂觀，但多一事情發生，給單調的鄉村生活，刺激一下，也是很值得贊同的事。

菊英帶回陳家，給兩手反綁在後面，像牽牲畜似的拴在房子裏的石臼上，像新發明似的，從昨天起，有人傳說她是到娘家去打胎，這個罪名，更大到無可寬宥了。

大家同來休息一會，陳永和提議這妖婦的刑罰，要由做家翁的陳東甫先下手，於是一雙釘了好幾顆鐵釘子的土布鞋，像搗衣棒似的往菊英腦袋上打，似乎頭髮都一束一束的給拉下來，鮮血從太陽穴流到下巴，幸得一個慈心的陳祥老婆子，覺得太可憐，拉住東甫的袖子才停止。雖然菊英像宰豬似的哭聲，還沒有停止，一羣如狼似虎的暴徒，又來開始做文章了，有人提議把她的上衣除掉，打個痛快，不過不許女人走來看。

一鞭一鞭的往背脊上大腿上抽打，有時打破奶子的皮膚，血痕像排列着的斑馬的花紋，菊英的喉嚨，大概也哭破了，只是看見她咬緊牙根，在接受這慘酷的鞭子，不聽見什麼哭聲了。

輪到陳濟生打的時候，作風更為毒辣了，他曾有經驗的，像做過郡會上特務工作似的，一鞭一抽，立刻見鞭子到處都是有血絲流出來，直打到菊英入於昏迷狀態，不能再呼號才停止，他們見天色漸黑，各自回家去，預備明天再來教訓這少婦。

菊英被他們鎖在下房裏，沒有人送一點水一些食物，直到夜間，砭骨的寒風，刺着她已裂的皮膚，她總醒來，像整個肌肉，也失了知覺，不感到痛苦，她沒有人的氣息，也沒有生的慾望，似乎她唯一工作就是怎樣去了結這條生命！

第二天早晨，一羣沒有仁慈心的人羣，跑來開門預備大關打的本領時，發現菊英掛在窗檻上冰冷了。

二　異國情調

韓江依舊靜靜的向南流，水老是黃赤的，那時是冬季，河床也淺了，不滿一里路遠，又湧起一個沙灘，三五沙鷗，在那裏休憩，有時撥翅作聲，打破無可告訴的沉寂，偶然有一個衣服襤褸約不及十歲的童養媳，在離沙鷗不遠的地方，拾早幾天上流冲下來的枯枝或破片，沙鷗離離她僅十來丈，好像瞧不起她似的，故作鎮靜的斂翅獨足的假寐。兩邊對峙的山脈，雖然蒼翠，但都是天然生長的蔓草，沒有人造的森林，一二百里內都可說是童山濯濯，故江水充滿沙泥，易漲易退，遇到石灘則時有覆舟的危險，這裏沒有到人類征服自然的時候，一方面，石灘是有關附近某族某姓的風水，若用炸藥去蕩平它，則江水太傾洩，不藏財，則這族這姓的「萬富」絕跡，這是天經地義的道理，沒有任何「讀書人」或縣長敢反對他們的主張。石灘雖然存在了千千萬萬年，看盡流血成河的兵燹，迎送過恆河沙數的旅客，有些是家無立錐，「人嫌鬼惱」的浪子，隻身空拳，從這裏往南洋去冒險，碰運氣，果然成了富翁回來，金戒指帶滿兩手，有些則賸下「一身皮纏把骨」，與僅有人的模樣，三期肺病向家跑，他們認為「死不在屋」，是人生的不幸事，所以無論二十三千里遠的海程，他們都得跑回來，把骨頭安葬在自己生長的土地，若得到一穴好的墳墓，他又可以保佑其子孫的昌盛。

一艘外貌殘破，只有二十四馬力的小汽船，像疲乏到將要落伍的士兵般，在江心爬行，遠望去右邊只有一個船夫，持着竹篙，在等候必要時的幫力，因爲水實在太淺，好易擱淺，一個小孩子，小心翼翼的扶着扶梯，想小便，但船身一顛簸，他又倉皇怕墜落水去，卽刻回身走了。除了孱弱的馬達搏搏搏的聲音外，還可聽到船內旅客打麻雀聲，或彼此高談過去如何失了機會，如何被商人「走路」生意因此失敗的聲音。

山峯的腰端，綠翠欲滴的叢木裏，透出一陣婉嚇的山歌聲，尖銳得像高音的 do。當然是苦命無依的女性唱的。船中長於此道的旅客，不覺春心撩動，想開喉來和一二首，但無情的汽船毫無留戀地，溯江而上，這位旅客，有志未伸，只好喪沮地，眼巴巴望着那令人神往的矮林。

這裏大槪是叫着做蓬辣灘，好一個美麗的名字，江流湍急，時時有覆舟的危險，經舟子一次命令靜寂之後，旅客全寂靜下來，屏息以待，心裏好像這是衣錦還鄉的人之最後一個關頭，不到半點鐘，石灘過了，旅客們皆喜形於色，船裏又嘈雜起來，像小菜場裏一樣，沒有誰敢干涉誰，這是沒有秩序的民族的一個縮影。

僵業在船上倦伏了三晝夜，早想到外邊眺望一下，闊別了三十年的江山，但總是因爲船的外國妻子，及患病的哥哥，時刻要人照料，幼子幼女一會要茶水，一會又要小便，弄得他自己也幾乎支持不住了。他聽說蓬辣灘過了。心頭生起一種無限的安慰和感慨，無論如何他要撥冗到船舷去眺望一會，因為他想起前三十年，當他只賸下一條褲帶，懷着必勝的決心，坐「大眼雞」船漂望非洲去的時候，適裹恰恰是土匪刼船，打死了好幾個人，事情剛過，他所乘的船卽從上流駛到，親眼到那慘狀，不禁自己慶吉人自有天相。

河山依舊，面目已非，回意他出外時，是三十歲的壯年，氣盛力強，但時間是世界上最殘酷的東西，現在他是上了「花甲」的老人了，兩鬢如霜，門牙脫落了大半，身體也孱弱多病，雖然也會幫助着他二哥賺了不少金磅，拿回家鄉去造過三四十個房間的大厦，也實現了光宗耀祖的素願，但現在他的二哥屋拱患了第三期的肺病，命在須臾，他身為骨肉，也只好放出絕大決心，把所有的店務交給親戚胡仲三去料理，連同他的外國妻子，所謂「番婆」，及二個碧眼黃髮的中西合璧的子女，回到五千里外的窮鄉僻壤的故鄉來，過原始社會的生活。

儷棠初到南非洲開浦登，是在鄰村黃吉祥洋貨店做工，初因為年紀太小，學英文比較困難，只拿每月五磅錢的薪水，到第二年春，黃吉祥看見他老實可靠，終升他做採辦員，每月可拿到十磅薪水了，除了衣食可以每月餘下六磅錢，積蓄起來，好好的積蓄因為他無時忘記他家境的一貧如洗，僅僅可賴以吃三餐粥的「瘦田」，也因他父親的死，典給親房了，他必須立志要積錢，把它贖回來，給老母耕種，既可使老母不受凍餒，又可一吐半生以來，為人目為無出息之氣，但是時運不濟，第二年患了一次腸炎，幾乎喪命，幸得把積下來的五十九磅的「金仔」都用光，到那時他才相命「發財靠命」風水「屋場」。不該你發財，則怎樣奮鬥，也是等開，還就成了他牢不可破的人生觀宿命論。

第三年，他的二哥星拱也來了，他暗自歡喜，或者家裏的風水好二房，二哥或者可有一天發財，轟頓家聲，則他怎樣受苦，受帝國主義者奚落，差使，他都願意。說起白種人在南非聯邦，鄙視黃色的華冑，眞是筆墨難以形容，三十年前，那裏沒有中國領事，沒有任何政府代表，沒有中國人的商會，一羣烏合之衆，任由他們白種人統治，每六個月出一個苛例，來向華人身想心事，一隊隊的華人爲他們在荒山絕野去築鐵路，聽說結果每完成一個枕木，卽要死一個人，他們都是從窮遠的神秘殘酷的中國海，懷着爲生存而奮鬥而來的中國青年，但成功而去的可稀少了，那裏「白人」看不起有色人種，白人的巴士車，電影戲院，不許有色人種坐，黃黑人種，另有車，另有戲院去享受，其他令人忍聲吞氣的地方，一時也說不清。

星拱初到那裏，也是傭工，過着店員清苦的生活，但命運的事還是神秘的，第二年星拱居然與人合夥開麵包店了，一帆風順，生意日好，每月由八百包麵粉的供給，增至三千包，儷棠也調回自己哥哥的店裏去掌櫃，他身體也強壯起來，每日工作十小時以上，錢一批批的匯回家鄉去還債，贖田，到了一九〇五年，星拱自己計算在銀行裏的存款足足有三千九百二十磅，於是他雄心起來了，他的夢想到了實現的日子了，他寫信給他的三弟，卽覓屋場。在三年之後，果然他們四五十細房間大廈落成了，儷棠也當然是盡了最大的努力。

時光如閃電般迅速的飛跑了十五年，他們生意已達到了最繁榮的時候，儷棠深夜自思，好不快樂，回想自己十五年前，幾乎狼狽由蓬辣灘束下的時候，做夢也不敢有今天快樂的歲月，不是祖宗有靈，就是自己的「鼻運」得力，不覺快慰生平，但「子息」的問題，忽然在腦海出現，來擾亂他的思路，他究是宗法社會出身的人，雖然做「番客」十五年，也無法改變他的觀念，這問題使他悠然心傷。他與他家鄉的妻子，相別十餘年了，因為她不識字，沒有通一封信，雖然彼此感情很好，她是在他「無出息」的壯年，在家為人瞧不起的時候，最敬重他的人，她以為一定有發達，始終安慰他，現在在外十五年，他妻子耐心地撫育着個幼女，現下也十六歲，幾乎又可以出嫁了，這樣典型的女性，真使他幾乎下淚，呆坐在燈下，好久好久，她的以前二十六歲少婦的影子，給人安慰的微笑的模糊的印象，使他發生像搔癢之感的心情，因為她是他最初有過感情的女性，或許是初戀的關係，十五年後，仍然一想起就很痛惜，一方面也因為覺得良心上難過，誤了她的青春，活守寡半生。

性的苦悶，也時常來煩擾了僑棠的肉體，但究竟是羈旅異邦，也不容易尋到解決的方法，黑女子是不屑往來的，雖然也有許多同國同鄉，娶過黑女或半黑女做「妻」，但黑女生出的子，非黑非黃，使人難過，僑棠對於傳代的觀念，重於性的煩悶，「膝下猶虛」這幾個字好像在茶餘飯後，都要來譏笑他，迫他要下一個決心，來解決這個問題，使得僑棠無精打彩，忽忽若有所失。

命運注定了一切，不由人去執拗。店裏的英籍女職員，名叫瑪格力特，很矮，父親是荷蘭船長，母親是英國一個法院的女書記，因爲久居開浦登，早取得了英國國籍，她在店裏是掌管文牘及記賬，已在那裏工作六個多月了，她沒有英人倨傲的心理，或看不起中國籍老板，她很富服務的精神，準時來準時去，她有一對怪討人愛的眼睛，不致過高的鼻樑，無形中有些中國人的輪廓，二十歲的華年，擁有蘋菓色的面頰，一種令人可親的態度，早就引起儷棠的注意，而至於愛慕。但因爲種族的畛域，無論如何，不敢表示他的愛慕的心情，只有極度的和婉的聲調，去命令她如何工作，希望這樣給她良好的印象。

雖然在四十五歲的中年，儷棠幷不難看，且可以說是帶些西洋風度的東方人，有一束向兩邊翹起的八字鬚，適合身材的西裝，每日必刮的鬚子，從霍森小姐平日的表情，也知道她幷不討厭儷棠，且有時對他裝出頗有深意微笑。

不知道儷棠經過什麼方式的誘惑，或奮鬥，那年的秋天，居然兩人到市政府去「交印」了，中國人與英國少女結婚是很少的，以前雖有過，但這次特別引起僑民的注意，因爲霍森小姐，是以天性純潔及美麗聞名的，英國人當然也有許多是因此妒忌的。

這一對中西合璧的新人，過着美滿的生活的有二年，第二年，小女孩出世了，家庭的費用，日益增加，使得儷棠每月固定的入款漸漸的不足開支了，只好開始動用銀行的存款，這個激起他二哥的不滿，以爲他當日的勸阻這個婚姻，若能生效，則不致有今日。

因爲年年的苛稅增加，生意經一年年得的無利可取，這使星拱擔憂，認爲好時運已過，風水限定他們要漸漸向衰落的斜坡下傾，雖然十餘年星拱賺了不下二萬磅的錢，可以告慰祖先和鄉黨之人，但還樣看着自己的事業敗落，使他心如刀刺，於是肺病爲了不速之客，雖然四十七的人，也免不了這災難。

儷棠結婚的第三年，又生了一男孩子，取名協敦，棕黃色的頭髮，淡藍的眼睛，皮膚是掩不了東方人的色澤，這是生意漸次不景氣時，一個大大的安慰，他是不致「無後」了，他相信這個孩子一定可以振家聲，繼承他的志願。

十三年的光陰又殘酷地向耳邊流過去了，少婦變成中年婦人，中年的儷棠，變成斑白的老者，星拱因肺病的加深，已勝得瘦骨如柴，醫生說，至少還有半年的壽命，這使儷棠無限傷心，他不願眼光光看着雁行折裂，但這命運又顯然是無可避免，他願盡最後的責任，讓使他回國，使他的二哥，不致埋骨異鄉，并可安葬在「牛眠」之地，這是他一生最後的心願能。

經過一夜弟兄的商談，星拱也同意這個辦法，暗算算他自己還剩下的三千磅「金仔」，回到家鄉去如何買產業，如何娶媳婦，凡是患肺病的人，沒有一個悲觀，相信醫生的預言的，直到氣息忽然停止的時候，想相信他也來不及了。

儷棠用很好的言詞，說明他家裏沒有妻子，他的家鄉怎樣山清水秀，怎樣他們可以用餘下的私蓄，度兩人的幾年，需要時她可以回南非洲去省親，這樣誠懇的態度，說服了她，她以前雖然聽過人家說，中國是怎樣不開化，吃燕子窠，沙蟲，禾蟲，狗肉，但他疑信參半，她想以好奇的心情，冒險的心情去嘗試一下，她相信儷棠還十分愛她，即在沙漠裏，他亦是會以全力保護她，況她們有兩個可愛的兒女維繫更深切的關係。

一路海程無話，汽船因爲梅江水大，可以直達新墟，那是離他家園只有五里路的小市場，普通稱之爲墟的，船剛靠岸，成羣的鄉人來迎接這一陣「番客」，眞正的「金山客」，比任何客都富有的，嚷成一片恭喜聲，但大半的人都不大認得了，幾乎細細都要問起他本人的祖或父的姓名，纔能憶起這是誰，間有認得的，臉上也好像蒙上一層衰老的輕紗，只存模糊印象而已，略加思索，也有使人傷感的價值。星拱在萬頭鑽動的歡迎者聲中，喘着氣，扶着弟弟的手腕行過跳板，到不像樣的碼頭上去，隱約聽見有一個人嘆息道：「痰火呀！」幸得星拱沒有聽到這個感嘆，否則他一定得着致命的悔恨，因爲他自信這個病只要「養」，就會全好的，行李總總有二十擔，什麼都有，肥皂、海參、帆布椅，和大皮箱，（當然是放錢的，大家這樣想，）眞是應有盡有，這就是衣錦還鄉的光榮的日子。

霍森女士，帶她的兒女向着這荒涼無文，只有一條石路的山徑走，前前後後擁上不少的衣服簡陋的鄉民，來看不常見的白種女人，很多頑童，大聲的叫着「番仔啊！」雖然只有五里的路程，但這樣新奇的事件，引得任何一家的鄉民們，都立在門口，覺得妙不可言的，張望這高眼高鼻的怪人，——有些鄉民是一生不會見過白種人的。

儷棠的家鄉，是在叢山中一個村落裏，村落中有一條小溪，澄清可愛，趙姓的人聚族而居，蒲望的農田，恰好夠那裏四五百人口的米糧，那裏多數是女人種田，男人是「先生」，他們數百年都傳統的到南洋荷屬，或英屬殖民地去經商，雖不一定成功，但比在貨棄於地，無業可失的祖國，游手好閒好些，故青年不求怎樣深造，只要識普通的字，會打珠算，就到南洋去碰運氣了，故小康之家很多，還有幾十座雪白的大廈，因爲「架造」是他們引爲最成功的事業，他們無求於人，這是他們祖先披荆斬棘得來的結果。他們將繼續奮鬥下去，除非帝國主義者，有一天下逐客令，他們纔會回老家來，過日子，過一生吃粥的生活。

露森小姐初到儷棠家裏，覺得還有趣，屋是這樣寬敞，幾十個人住在一個大家庭裏，也不曾聽說儷棠還有一個老婆，因爲語言不通，什麼事都要儷棠做舌人，不過屋子裏齷齪，雞子鴨子在庭院裏穿出穿進，還撒下不可向邇的糞，白天房子裏只有一個石刻穿花的光窗，陰暗得不能寫字看書，晚上則點上洋油燈，或甚至荳油燈，使人無做事的心緒，所以每晚七時至多八時，就帶着女兒安妮男孩恢敦去睡覺，每個房裏放下一個小便缸，弄得滿室都是阿摩尼亞氣味，還於她覺得是無可寬宥的。

過了二三星期，她覺得生活漸漸枯燥起來，人們都叫她做 Fan mgai？她雖然懂得她現在應有的名字，但不知其意義何在，直到後來她纔被人解釋出來，那是「番姆」的意思，所以稱姆，因爲她不是獨一的妻子，還有那每天跑出跑進，身上有一大把鑰子的，面孔又皺又赤的，是儷棠的「大老婆」，所以她只配稱「姆」，就是妾的應有的稱呼，她聽明白了，十分喪沮，萬分失望，但她自怨苦命，也不想向儷棠與間緣之留，她一個白種人，在山嶺頁疊的天之涯，向誰求救呢？她堅信兩個兒女好好的教養成人，就是她死在異域亦甘心。

漸漸的迫得自己洗衣，掃地，燒飯，甚至到菜地去鋤地了，食的東西也極其簡單，可憐三日只吃二三兩豬肉，眞是受不了，她暗地裏，不知流了多少淚，她唯一的安慰就寄托在一對兒女身上。

十年的時光瞬息地過去了，什麼土話她都會說，只是說來生硬好笑，就是慶幸自己雖在中國病了幾次惡病，沒有死掉，只是因爲十年來營養不足，自己衰老不堪，幾乎不敢對鏡子裏一照，回想她婀娜的華年，受了許多白種青年的追求，因爲想自己經濟獨立，而拒絕一切人的愛情，現在自食其果，也怨不得誰。

儷棠因爲非洲的生意付托親戚照料，已每況愈下，不得已又回去料理，他去的時候，不願意再帶她去，他知道這於他一定不利的，不知不覺安妮也出嫁了，協敦也二十三歲了，初中畢業後，曾在城裏洋貨店做過半年店員，那裏每月只有八塊錢的工資，當然不能滿足那聰明的青年。因爲他是開浦登生長的，照移民條例，是可以再入口的。一個春天的早晨，協敦淚珠滿臉的，辭別老母，她盡力勉勵他要立志做人，賺錢，將來好帶她再回南非洲去享福，若是他不好好做人，則她一生就完了，白白的犧牲了。

協敦到了開浦登，無時不關心他母親的遭遇，可憐她一生沒有幸福，現在還是在那窮鄉僻僅，過着原始時代的生活，雖然她早已同化得像土人一樣，能挨饑耐寒，但他每一念及，則心裏非常難過，他有羅森小姐純善的性格，刻苦的精神，自信的毅力，他必能有志竟成。他初到開浦登，看到他父親和叔父的生意，早已因連年虧蝕而倒閉了，他七十歲的父親也到別埠名吃里西斯島謀生去了，他起初只能很清苦的，爲人店員，每月得到十二磅的工資，將食宿餘賸的，除每月寄一二磅給他母親外，全積蓄下來，徐圖發展，因爲同鄉的慫恿，他向政府呈報他父親已死，他該跟回母親的國籍，而爲英國國民，理由充足，果然批准。有了英國籍，纔有權利開新店，中國人除原有的店子外，不許再開任何新商店的。

第三年他的私蓄千餘磅，與一個荷蘭人合開一個 Kee Sing 公司，營業蒸蒸日上，店員由三人增至十五人，出納書記都是英國女子，雖然是協敎精細管理的結果，但也是他特殊地位之所賜，他的利潤，是其他中國商人所不能想像的。

越二年荷蘭人病死，紀新公司的股份，全由他承受，他匯款給他母親及他已出嫁的姊姊，到開浦登來，母子相見之下，歡慰的情懷，眞是不易用筆墨來形容，不到兩個月，因牛油麵包及豐富滋食料的供奉，她忽轉變爲胖婆子了，安妮也出力在店裏幫忙，充當金庫管理人，因爲管理科學化，營業的發達，眞一日千里，第四年已在非爾克街，及安東街加開兩個支店，每日送顧客的貨物之卡車，也有兩輛，協敎自已駕駛着最新式的汽車，到各店去巡査之外，只是着重在生意場中的交際，因爲他生得十足像白種人，很多人不知道他父親是黃種人，故鄙視他民族不平等的氣，他沒有受過，他不會像我們一樣，吃他人唾餘過日子。

協敎沒有一日忘記他母親，受過十餘年慘淡的生活，總是想盡法子供養她，或有時駕汽車帶她和姊姊到隣埠去過週末，偶然在茶餘飯後談天，她必關心協敎的婚事，她極力主張他要娶中國家鄉的女子，那刻苦，服從，純良的性格，是世界上罕有的，暗地裏她實在是想用「家婆」的資格，等待媳婦來侍候她的晚景。總之她完全被中國社會同化了，她和自己子女，也說着「客家」話，吃的也是中國飯，眞是少見的偉大的女性，中國民族是偉大的民族，歷史上雖然亡國幾次，都不曾被人同化，還能翻身，只有同化他人，眞是確論，中日戰事發生以後，昔日的蘿森小姐，激於義憤，叫協敎即刻捐匯五千鎊給中國的財政部長，以後答應每月交二百鎊給中華商會，告同去救國，她覺得他的唯一兒子已救了家，現在是該救國的時候了，一個人衣食豐足以後，多餘的錢是無意義的。

報上常常載着中國因戰事而死亡的慘酷，及難民的饑餓，使協敎的母親感到難受，因爲她太明瞭而且身受過中國人生活的慘狀，再加以戰爭，那不是地獄的縮影嗎？她有一天決定叫協敎回中國老家去，娶一個美麗的妻子。幷帶五千鎊到家鄉去開辦一個平民織布廠，以容納流離失所的難民，另一千鎊，去辦一間小學校，在他的故鄉，她明知道這無濟於事，但若是盡了她的責任，她就安慰了。

在郵船將開的碼頭上，她拍着協敎的肩膊，流着淚在蒼老的兩頰，她嗚咽地說：「我不能再回去看看中國，眞是平生憾事，雖然我在那裏過了痛苦的歲月，但是中國太美麗了，牠總有一日達到更文明的日子……你要娶一個美麗客家女子回來，我總高興，你不要忘記媽媽的心願……記得在你父親的書房裏，還有一本星相家寫的你的「流年」，你必須帶來，再講給我聽聽……這是中國最神秘的科學…………

三　飛剪號帶來的英勇

美洲開來的飛剪號，在蔚藍的天空盤旋了一個圈子，好像對運命途多舛的島嶼，發生無限的惻隱之心，因爲在領海的五里之外，無日無夜的有驅逐艦巡邏着，好像隨時都想伸出魔爪來攫取這個金銀島。從高空下望海洋的景象，眞是有說不出的美麗，海水像無盡長的藍帳幕有比寶石還要深邃的色彩，一塵不染，聽不見人間煩囂，廣袤的祖國的海岸線，兀立着，緊聯着無數萬方里的大陸，好像有意遺下這個孤兒，在風雨飄搖中不斷。珠江口的不規則的島嶼，像傾下的墨汁般，顯現着一片蒼翠之色，一種美態，非乘過飛機的人，不會領略到的。

在窗口的軟椅上坐着的羅絲小姐，心房開始忐忑，因爲這是她初次回東方，又是初次決心投進祖國的懷抱去實現她父親的願望，她探首下望，看見所謂東方小紐約，原來比她所想像的小得可憐，想不到它給英帝國發生這樣大的政治經濟作用。

她聽到旁座的美國人，在談論要進行什麼告老色斯得旅館，她亦想到自己的居住問題。她想起自己雖有一個姑母在香港，但沒有預先給她電報，恐怕不能即日找得到，故住幾天旅館是不能免的，於是她記住旁人說過的幾個旅館的名字，到了機場，她叫一輛汽車就是，她預知道是沒有人會來迎接她的。

她是老同盟會員廖鐵夫的獨生女，她父親平生奔走革命，不事生產，自從河口之役死難後，只留一間古董店給她母女兩人過活，起初商業有些危殆，因爲她母親是土生的唐人妹，從來不過問生意的，幸得有個堂叔好意的看不過眼，挺身出來維持，纔沒有倒閉，後來她的母親也漸漸懂得貿遷之道了，羅絲也年紀漸長，可以勸助店務，招呼顧客了，居然生意比她父親時代還發達，五六年光景，賺了將近二十萬元的潤利，不幸她母親在前年的夏季，因惡性痢疾，爲庸醫誤死，現在只賸下孤苦伶丁的羅絲了。

因爲她獨享這樣大的財產，又生得如此磊落大方，操流利的英語，三藩市許多的黃白種少年，都在她石榴裙邊打轉，但是他深明白們的主意，不獨不爲所動，而且她不覺鄙視這些可憐的青年了。平心而論，是怪不得一班慕少艾的青年去追求她的，她有廖鐵夫的遺傳，生得結實康健，珠圓玉潤，在她入時的西裝外引人注意充滿着五月氣息的胸脯，就是佝僂的老人，也怕要抬頭望一望纔甘心。老實說，她比黃柳霜還綺麗可愛，若是她在銀幕上，觀衆一定會說東方天女下凡了。

她自十年來，無日不痛心她父親爲革命的犧牲，如今留下她一人，孤苦伶仃的在人世，她不想將青春犧牲在婚姻上，她腦子裏充滿着民族思想，自從中日戰事爆發以後，她盡力捐助，但是她覺得不夠出力，她總覺得自己與祖國太隔膜，她總覺得自己尚有責任沒有盡。美洲於她似乎太稔熟了，生膩了，她要看看自己的祖國，看看另一個苦鬥的世界，她不願再從報紙上去知道祖國的實情，她要親身去參加，要貢獻她所有的財產。

飛機徐徐的向啓德機場下降，羅絲心頭有無名的彷徨，幾乎近於一個失業的人，初到茫茫人海的大都會的心情，但是東方都會生活的憧憬，於她也新鮮不過的。

飛機停後，乘客魚貫的跳下，溫和的太陽，無私的撫慰着每個旅客疲乏的面容，雖然每人各有各的心事，隱藏在心窩裏，羅絲知道無論如何是不會有熟人來迎接她的，所以她也沒有猷行張望的意思，忽然下意識地看見一個穿白紡綢旗袍的，約莫三十歲的女性，笑笑的向她點頭招呼，很有禮貌的問她是不是伍小姐，羅絲經這一問，不禁愕然，是什麼朋友親戚派來的嗎？怎樣不認得她呢！經過廣東話交談之後，這個女子纔說他是廣東省僑務處專派來招待伍小姐的，在人地生疏的羅絲，當然感激得很。

那個女性領她到明妃旅館開了一間很寬敞的房子，還有很精美的西餐點心，件件招呼周到，那邊還有許多的工作人員往來，確像一個辦事處。不覺已到香港六天了，羅絲對那女子說，她朋友又沒有一個，住得有些煩厭了，不如早些買飛機票北飛。說了好幾次，似乎那女人都不甚注意這件事，或顧左右而言它，終於她不耐煩了，有一天她切實要求，要即日買飛機票飛南雄，言時表示不愉之色，那女子卒之無奈，即刻答應渡海去購飛機票。翌日早晨四時半，羅絲便被他們叫醒，匆忙地梳洗，不辨東西的，遂隨着他們登小火輪，說是到中國地界飛機場去。

汽船的顛波，和以卜卜的節奏，使羅絲又不能自主的睡着了，當她一覺醒來，探首向窗一望，見太陽已在半空，不覺嚇了一跳，她爲什麼還沒有在飛機上呢？趕快找那女子詢問，但是這個獅身女首的人妖，此時已面目猙獰，一變以前低聲下氣的態度，一句也不作答，一昧陰險地微笑，羅絲眞如墜霧中，打破頭殼也想不透究竟是什麼一回事，她實在耐不住了，厲聲的質問她，不應這樣誤人行程，她只是得意地叫羅絲出房門口窺望，她只看見兩個穿着制服的衛隊，執着駁殼槍在左右站着。

羅絲雖然生長在外國，但心裏明白這是政治的綁票，咆哮也沒有用，徒招致眼前虧而已。她呆若木雞，不知怨天還是尤人，一味胡思亂想，想到老父一生的事業，想到三藩市的朋友，想到自己今後的命運，一時用腦過度，幾乎想暈倒，她又幾乎想哭出來……

船到了虎門，她只是在地圖上看到這個名詞，看着那個人妖，從公事袋拿出一張紙，給檢查的佬兵看，就毫無問題的通過了。

再過幾小時，汽船已到了白鵝潭，但見另一條小火輪，載着幾個西裝少年上船來，人妖一個一個給她介紹，這是什麼委員，那是什麼處長，主任，那些冷血動物，連忙灣下九十度角的鞠躬。

「廖小姐太辛苦了，一路招呼不到請原諒……」

「你們這些狗都不如的東西」，羅絲不顧一切的痛罵，「還裝出人的臉孔來見我嗎？你們鄉我有何應用，我的錢也不在這裏，你們一個銅板也休想到手！」

自有法子叫你拿出二十萬美金來，開發實業！」一個青面獠牙的青年，也失却先前謙恭地說。

羅絲順民般的乘坐他們的汽車，如飛的開向東郊，此時八妖也不同行了。住在小洋房裏，行動不能自由，至多准許在花園裏散步，已兩日不見有誰來訪問，這種現象使羅絲滿腹疑問，夜間靜寂得像墳場，無枉之災的墜身虎窟，同時回想起美洲的家園，不禁潸然淚下，痛哭一場。

第四天早晨，那個青面獠牙的所謂「僑務處長」胡舜英，又厚皮厚臉在客廳裏露面了，起初說了許多道歉的話，羅絲都心不在焉在聽，末了，她想請羅絲去出外吃飯，她稱胃病謝絕了。

晚上，羅絲獨自一個人洗完了澡，穿著睡衣無精打彩的在翻閱抬上隨便找來的英文雜誌，忽然房門開了，那個厚臉的胡舜英，醉醺醺的跑進來，羅絲覺得他太唐突，想痛怒罵他一頓趕他出去，但在虎穴，有甚麼用呢？於是自動的停止反抗。

胡舜英蹣蹣跚跚的跑近她，如鬼魅般發出令人欲嘔的酒味，東拉西扯的說著無系統的話，羅絲沒有高興跟他攀談，不一會他站起來坐近她的床前，開始用手拍她的肩，羅絲沒有激烈的反抗，只用手撥開，但是後來愈來愈兇，竟動手摸羅絲胸膛，她實在忍不住了，用手一推，還個醉鬼，像樹幹倒地似的倒在牆脚，腦袋打在桌脚上，創痛使他發出毒笑，好像是隨時可以吃掉一個人，但是這個打擊使他暈過去。

她知道大禍已經闖下，生命從此也有危險，情急智生，她趕快把門鎖上，從胡舜英衣袋裏，取出一張名片，并取他的自來水筆，寫上二行小字，蓋上胡的圖章，只拿出自己的一切首飾，支票簿，及少許鈔票，納在手袋裏，其餘的行裝均丟掉不顧。

她在石階上將名片給那武裝便衣守衛看，并很鎮定的說：「胡處長有要事，叫我找錢女士前來商量」。於是她不受阻撓的走出林蔭大道。

她一步加快一步的在逃，她直想發足大跑步，但她恐反使人注意，她剛覺鎮定一些，忽然看前面轉灣的牆角，站着一個日本憲兵，好像聽見有足音，特地等候她來查問的，她不覺着慌起來，日本兵是沒有理性的禽獸，若給他囓咬起來，不是一切秘密都洩漏出來嗎？這樣想着，已走到憲兵的跟前，她不慌張，知道日本憲兵是會說些英語的，故跟她打一個招呼，他以爲她穿得那樣入時的西裝，是外國女子，所以很客氣的受寵若驚的，咕嚕了兩句逐目送她走過去了。

天不絕人之路，恰巧有一兩野鷄車走過，她即刻跳上去，直駛沙面，這是唯一可以逃生的地方，其餘的辦法，只有在死一個字路上跑。

美國副領事道髮倫，以十二分客氣，招待這個上賓，他擔保她可以得到安全，這些異國女人的贊助，使羅絲直流下淚來，她初次出門，便遇到這樣大的危險，使她覺得一個天真的青年女子，實不容易投到萬惡的罪惡的淵藪來奮鬥，對於前途發生黯淡的悲觀，她想不到漢奸們有這麼能耐，她在三藩市起飛之日，就有電報給香港的同黨，可憐他們心勞日拙。

第二天的日報有這樣的一段引人注目的新聞。

昨夜八時許，農林路五號，僑務處胡處長舜英私邸，被大幫奸人潛入，乘胡處長入浴之際，闖入浴室行兇，當場殞命，胡處長計腦部受刀傷數處，腦漿迸裂，腰部受刀傷二處，腸已流出，衛士田勝軍臥於花園血泊中，迨憲兵聞警趕到，兇徒已遠揚，聞當局決限五日內緝兇歸案究辦云。

羅絲看了，一面自慶脫險，一面又覺得竟於無意中殺死一個漢奸，實是生平快事，一班禽獸，還胡說白道，欲以此掩人耳目。

副領事道裴倫派人乘自己的小艇，護送她到香港，把她安頓在朋友富列士太太家裏，囑羅絲不要隻身外出。

羅絲雖得到友邦人盡了最大的友誼，得以出險，異常感激涕零，但一顆寂寞的心，像海洋上的枯葉，永遠飄泊，她的英勇行爲，亦不想世人知道，始終只有道裴倫幾個人知道此事，但已囑他不可在任何地方報紙發表。

在蔚藍微風籠罩下的半山別墅，可以瞭望高矗山腰的白石摩天樓，碧綠的海灣，停泊着並待開行的郵船，往來如梭的駁艇，好像破壞數個空間的旋律，加以鄰居(How I need you)的小曲，不自主的引起她的鄉思，雖然祖國只近在咫尺，但她無那冒險的勇氣了，她海濱的小別墅，需要她回去充實，她要愛國，她要救國，但慣於安定生活的她是不能經此種磨難的，還有她的理想和人生觀，急須改變，她不須再孤傲地對待男女朋友，她的前程是在三藩市。

她到臥房裏取了支票簿，簽了一張十八萬七千元美金的支票，決意委托道裴倫先生，轉匯給我國抗戰最高領袖，不要提她先父及她的名字，免致人家懷疑她回國來是沽名釣譽。

總計她離開異國故鄉只是一個半月，又在啓德機場，在幾個美國朋友歡送之下，又飛向渺茫的太平洋去了。

三十年於韶關

遊記

一 入蜀散記

這樣炎熱的天氣，爲什麼要來這個一千幾百公里的長途旅行呢？這就是生之擧，動就是生，動就是進化。

人們在暑天避暑，我是在尋暑，近似愚蠢的行爲，但有時愚蠢的行爲中，會產生人生的眞諦，聰明的措施，會抱憾終身。

孤零零的「一個人，伴着一個皮篋，這個長途的伴侶，老邁得可憐，它跟我走過許多山川國度，現在支持着這殘破的軀體，要是有性靈的話，它會說出很多感慨人生的話吧。

一襲灰布衣服的少壯派，在歡送一個「懸崖勒出本黨各城」的局座，大家裝出不自然的靦靦臉孔，說去許多不由衷的話，對於失敗者大有貓哭老鼠之慨，但這就是宦海，以後「山水有相逢」人人都要懂這個人生哲學。

把甜美的土屋，雪亮的油粘米，丟在腦後，衝向遙遠距離的旅途，朦朧地在臥舖上睡着，機械的車輪的飛奔之聲，像要把人的靈感切成小片，有什麼感興呢？去年此日，經過這條鐵路回家，爲什麼現在又向家以外奔波，在衡陽的碼頭上，一個老朋友叫我的名字，他是來等候輪長的，既然等不着，我們一同走，他說他趁現在還年輕，再流幾年，以後返回家鄉種植，人生不過幾十年光景，一不振作，就一溜烟的過去了，他的話引起我的傷感，人生是爲維持生命而生的。

衡陽炸死過盤千盤百的人，現在人還是那樣擠擁，民不畏死，奈何以死懼之。

桂林又看見那局長，在購洋車票，行李蕭條，勢利富厚盍可忽乎哉？

像有魔鬼叫趕程似的，即刻往柳州車中，路上沒有跟任何生靈打招呼，說過話，像一個啞道士，看完了一本書。

天像有惻隱之心似的，把太陽掩起來，涼風扇着旅人的胸懷，像仁愛的撫摸，又會見老眼婆娑的柳州，去年的心情，那裏能同現在一樣呢？

閃電戰似的鼠子，咬破了我的跋涉前程的通鞋，迷信家認爲不祥之兆。

柳州的北站南站的距離，使之變成軟骨動物，許久不奏演的警報，把人面變成土色。

一羣說同樣方言的下級軍官，都是會出死入生的好漢，談着轟炸衡殺的情景，栩栩如生，似乎不稀罕他已死的同類，他們看得太多了，生死的問題，早就冷淡了，痲木了，他們談着某團附的姨太太之兇惡淫蕩，丈夫要購春藥一個，故作傻瓜的同伴，遂問他什麼是春藥。

這些排長班長，跋涉千里入步兵學校受訓，這是建國的骨幹，談起彼此的姓名，他們說久仰，我象徵派的詩，排長班長也喜歡看嗎？以後我們彼此照料成爲旅中朋友。

這些山，這些水，於我是太稔熟了，還有什麼可描寫呢？荒地太多了，人是太懶惰了，難道人力不能克服這些蘆葦，人是在敲石子過活，不能與土地發生密切的關係，那裏會不窮呢？

車上的茶房，在衣服上寫着服務生的名稱，似乎自尊了許多，但眉宇間，是看得他是茶房階級。

腳腫的人都得賣報，恐怕報未賣完，已病死了，一幕生之奮鬬。

這條鐵路，到此與黔桂路接合而至金城江，這樣重要的大動脈，要三年以後到貴陽，不知要多少人命金錢，纔成培養出來。

中年以上的婦人，穿蛋黃色的內褲，不是有史詩意義嗎？

兵呀，農人呀，在烈日下往來，難怪他們腦子不靈了，若是釋迦牟尼看來，必定叫人出世出家。

偶閱報載某機關招考業務助理員，須考英文、地理、歷史、幾何、三角、本國史、外國史、這真是文明國家的現象，我們的教育，若真是這樣發達，則中國早強了。

到某處有一段大橋，高數十丈，石磊宏偉萬狀，橋全用木造成，一層一層的架好，這種工程很可佩服，也是抗戰的奇蹟，我們可以不需要鐵。

任何一座石山，易地則頓成名勝，時如鬼伏，時如牛眠，惜在荒山蔓草中，沒有人去賞識。

金城江擠擁着茅屋，污穢的人羣，這是什麼地方，似「殖邊外史」一羣，似非洲奇布的的土窟，蒼茫夜色中，走進一茅屋，每房三元，無門無帳，床板是厚薄不一，中如彈弓，月亮斜在頭頂，剛這地方怕人謀財害命，怕人盜竊，把值不得的東西全放在被窩裏，令人想起鷄聲茅店月，人跡板橋霜的句子，無限傷感，爲什麼不過家庭安定的生活，跑在外邊去受苦呢？

歐美人對旅行是享受，是求知廣識，我們旅行是受罪，拿生命去賭注，原來同在這世紀呀！

有人建議搭商車，直往貴陽，但取價特別多，誰願幫人發財呢？空把行李搬動一番。

熙來攘往的水溝旁石級上，臥着一個生命，不知是死非死，露出下體，屁股的骨都全部露出來，人們視若無睹，因爲這種現象太平凡了，沒有人有憐憫他人的工夫。

停車的站外，有成羣的人在販賣米飯，香腸，及各種食物，三四等客人，大嚼特嚼，不斷若蠅不蒼蠅，與微菌搏鬬，但是多少無知的人，就這樣送掉生命，而不自知，真死得冤枉，我們應該負一點責任啊。

一般人在搶坐位，搶購票的時候拚命爭先恐後，好像時間寶貴到了不得，其實都是終日無所事事，原來我們是在沒有紀律，沒有秩序的國家，一切都需要搶，不搶則活不成。

在賓館裏吃一碗一元的麵，得到一張發票上，蓋上三個圖章，有主任，有會計，有經手人，可見辦事有嚴密的手續，但爲什麼還時時有舞弊呢？這是民生問題了。

隣坐有一青年，在這糧米貴時候，一起吃下六碗的飯，好像怕便宜了主人，一般人都是過度的吃，社會那裏不窮，酒囊飯袋愈多，做事的人愈少。

國民政府特許的中國運輸公司，每日賠本的開二輛車，四十二個坐位，去維持這西南的交通，於是任何人都得在河池等候十天八天，掙扎登記，簡直是生死的搏鬬，僥倖當天在金城江掙的最後的一張票，眞受落後者羨慕。

九十幾度的陽光，迫得人發昏，碧油油的大江，引誘我到清流中洗滌征塵，潛水片刻，萬念皆消，去年此刻在懷遠接觸過這江水，誰想到今年又在你的懷抱，你能告訴我戰爭何把我磨練成什麼樣的人？

人若能以掙車票的精神，勇往直前去衝鋒陷陣則我們早勝利了。

在陽光下的車廂內，像在蒸籠中，車候出發，體質不好的，登時可以暈倒，這旅行太不人道了，誰實爲之。

在河池候車的，不知幾百幾千，老是在車站裏打轉，怪可憐的外表，像討飯似的向經過的商車求情，看出世態炎涼，看出各救自己的精神。

在家靠父母，出門靠朋友，因朋友的援助，得搭個美國華僑的商車往貴陽，那個身體魁梧的，有童子軍精神的人，我看出他是美國生長的，怪客氣的好人。

人像貨物似的，在車的最高峯搖曳，只求你能到目的地，還揀擇什麼衛適美觀嗎？我宿在南旦小墟，鑽進汚垢的旅寓，一羣由廣東西北開的大隊人馬，在晨曦中吃飯出發，喝斥聲遙進每個觳觫者的心，竹鞭無情的打在背上，清脆可聽，那可憐的消瘦的身軀，土黃的面色，恐怕走不上幾十公里會得到永久安息的，一個瞎了一眼，瘦骨支離的老人，手撑着竹竿爲人牽着走，無神的眼睛，瞟下路人一眼，好像說「我是不行的了」，我唸了一句阿們！

黔桂路的工程，在半天空的峭壁上丁東丁東的在敲打，人類的力量，究不易征服自然，那個絕壁，恐怕未有過人跡攀登的，不是成了勇士麽，車在霧中飛奔，怒吼聲趕走成羣的野鳩，人烟稀少，「地無三尺平」，迫得居民鋤山種雜糧，玉蜀黍，一個獨行者若流落在此荒山空谷，準給虎狼吃掉的。

到六寨檢查站，忽聞留聲機片唱着京戲，纔知道此行尙在人境。

獨山市上一個少年軍官，購香烟與老人衝突，光亮的皮靴，踢在膝骨作響，還拔出手槍來，嚇得老人拔足飛跑向內，因爲他大概不願死於本國軍人之手，我不禁大笑起來，自幸廉價看到一幕喜劇，眞是機會難逢。

車行山中，有出世之感，不知家在何處，目的地如此渺茫。

沿途盤千盤百的馬匹，在負載棉紗，這是唯一的奢侈品，也有人肩挑一擔，往西北行，眞擔心他未到時已路斃了。

飯館柱上，有歡送去職縣長的頌詞，紅紙寫的，下署邑人贈，做官到如此田地，也算得三折其肱了。

這些區域，二十年前恐怕是土匪出沒的地方，罌粟繁殖的地帶，現在留下病羸的人羣，鵠形菜色。

山雨驟來，不得已蓋上布篷，全衣盡濕，如落湯鷄，受盡人間辛苦，至旅店幾乎發熱了，以後寧不坐車頂，寧可久候，夜與臭蟲搏鬭，起來盡燒殺之，爲甚麼中國一般人連臭蟲都不能征服，懶惰而已。

此地離重慶五九八公里，如此遼遠的路，眞令人心悸，貓貓營附近，有兩車相撞，大家正下車憑弔，忽我們同行的車亦失事了，兩後輪跳出路旁，美國華僑，很勇敢的不怕艱辛垢汚（雖然已是四十五十萬家財的富翁），指揮工作，卒得救之出險，這種勇往直前的精神，已不是中國民族性了，我很佩服他，差之毫厘，則八萬圓付之東流，說不定還要斷送人命。

天氣很清涼，若干海拔已不知道。

南丹有「當大事」，龍里有「艾登裁縫店」，貴陽有「巴拉馬商店」，眞是招牌大觀！山谷的頂層之山巖，常一望數里，成一直線的岩層，美麗雄偉，地殼之形成，眞是不可思議的事。

我們的車，全是載汽車往陪都，一滴汽油一點血，奈何還是許多汽車，是專送太太上街入裁縫店剪髮店，聽說有人派飛機去接老媽子，受了嚴重處分呢！

貴陽天氣，有如廬山，人們像在太平世界裏散着步，蜂擁進戲院，女性有紅綠的旗袍，發亮的口唇，炫眼的胭脂，他們似闊綽的遠方客，東張西望，腰纏萬貫，不受物質的束縛，商店裏貨如山積，應有盡有，粵北的省會遜色多了，前聞人說，貴陽如何荒涼，全市炸平了，全是謊說，炸死數千人是真的，但兩年不炸了，人們過着太平的日子，貴州海拔約一千五百公尺，招待所已不是與臭蟲搏鬪之場，過着兩夜的安睡，使人對人生不致過於悲觀。

此地物價已超過粵北許多，生膠底鞋值二百元，冬西裝六百二十元，秋絨三百八十元，美國女游泳衣五百六十元，飛機錢一千七百五十元，力士肥皂四元，這夠嚇壞我們窮人，但這裏購買力仍強，否則商店早　閉了。

無意中遇見越南同學某文學博士，聞他新近戀愛成功，但我發現他沒有擦牙，這是戀愛者的喪鐘。

趕豬的人在前頭尖聲叫喚，後面的人則頻呼「檀史」，進度甚速，人與獸已通語言矣，一個瘋人，挑着要賣的草鞋，以右手向天招着，口呼扯，扯，大概他像叫飛機下彈，這人必係爲飛機嚇瘋了的；一個三條腿的人，在地上爬行討錢，所得甚多，他若爲美國投機商人看見，必帶他到美國去陳列，不過太不美觀了，奈何好好的人養不活，殘廢的人偏餓不死。

園中有周西成銅像，頭大身短，必是表示思想過人，不知誰的傑作，衣服短而不整，一手插在衣袋中，毫無莊嚴之態，如失業工人，徒點綴市容，而市容反給它損了美觀，幸得人們覷面不見罷了。

一個在火車上與憲兵吵鬧的人，給我排解了，他在河池不幫忙我坐他同學的商車，太使我感傷了，狹路相逢，在此又遇見他，我不理他的招呼，使他面紅耳赤，這個教訓比給他什麼都有益處。

看哥倫比亞之「滿城風雨」，如置身別一世界，原來在粵北已半年不見電影了。

西裝少年，腰間插槍，在飯館必除衣炫人，眞是世風日下。

穿大紅衣裳的人，招搖過市，在韶關恐怕帶進警局去了。

運輸處之柴油車，聲如飛機，震耳欲聾，進發至烏江過渡，兩岸峭壁全是岩石，一塊一塊輸不怕艱苦的工人鑿下來，沒有人感謝過這衆，穿襤褸衣服人的恩惠，我問同行者，這是不是楚項羽自刎的烏江，他說是的。

從此西北行，仍是貴州境，萬山重疊，士人鋤山種植，衣不蔽體，每個市場都是蕭條，找不到洋貨的蹤跡，人民在飢餓線上掙扎，每見英文什誌，講着貴州實業已如何進步，農村已如何改良，這恐怕不是這一區域罷。

一陣襤褸的兵，不穿制服，各自背負柴米一擔，眞是狼狽可憐。

已改坐車頭，舒適多了，但這四百八十一公里的蜀道，不知何時發生障礙，何時發生危險，我們太把生命當兒戲了。

司機「撓鴨鴨」數次，已得二百餘元，所以上將司機，是令人羨慕的。

路上一斷足女人，據當地人說，這女人的丈夫係一連長，因與勤務兵通姦，丈夫把她的兩足截斷去報復她，天地間眞有這樣殘酷的人類嗎，她遂是願乞食苟活人間。

車至弔屍巖又名七十二灣，危險愈常，這是智慧的結晶，一不小心，則可以粉身碎骨，若在天空看來，此路必蜿蜒如絲帶，如羊腸，非常美麗。

車至青棡嶠，如將氣絕般向上爬，機器發出高度的熱，車頭有如火爐，似置身土耳其浴室，這眞是受罪的旅行，這一段全是石山，工程浩大，令人難於想像，前數千數百年，我們若能這樣努力，恐不是如今日的日子了。沿途有四川的石鹽，用兩輪車向西南運，像螞蟻搬家似的，他們太勤力太窮苦了，奈何沒有科學可以拯救他們的飢餓。

多數的人，鶉衣百結，抗戰四年，洋布恐怕已絕跡，至於他們爲奢侈品，沒有一個像樣子的女人，有些中年女人，將兩個奶露在外面，毫不怕羞，恐怕是以此炫耀她有了小孩子的，她們終是裸體運動的先鋒隊。

沿途清流從石谷中飛湍，澄澈見底，令人想起數千里外的家鄉，至松坎入水中游泳一會，心神愉快，以後再來游的機會恐怕少了，人生的遭遇那裏能預料。

勞動者多纏頭，貌多笨相，他們已不用挑，而用簍子放在背上，休息時以一本木叉頂在下面，這個辦法，亦頗聰明，各處旅館皆無浴室，其不講衛生可知，不見學校，不見村落，不見人捕魚，他們眞是吃山不吃水罷，應該早日開發，使他們不再過原始時代的生活，國道所至之處如此，其他窮鄉僻壤可以知了。

古人說，蜀道難難於上靑天，若非受科學之賜，坐着飛跑的汽車而來，恐未入都門，已爲土匪之刀下鬼，而成白骨了。

車中看完英文半月刊及野草一本，恐怕顚震過度，有傷眼睛，不再看，趕水的川流中，有無數的枕木逐水下流，許多裸體的工人在水中工作，這是經濟而少見的風俗。

市廛上的人，好像無事可做，無物可食，老是呆坐在板櫈上，喝冲了又冲的茶，這是我們過活數千年的縮影。

司機捉兩個女鷓鴣，因爲不機警，在檢查站被扣留，聞要禁閉，凡事若嚴格處理，流弊自少，若一切條例，等於具文，則只是鼓勵人作弊。

自粵北來，計走了十二日，終於到陪都的南岸，聞是日夜空襲，所謂「疲勞轟」已繼續三天三夜，只得暫往在西南運輸處，司機宿舍，果然夜間二時又空襲了，爬起來走到農家，飛機已在天空翺翔，有人說是自己的，有人說是敵機，不久八枝探照燈向天空搜索，眞是奇觀，惜未找到，未發一炮走了，以後繼續日夜來襲，使人疲於奔命，每天一百餘架，聞四年來此次爲最厲害之延長空襲，幸我與商務印書館之張博士，靠了自己的名片之力量，遷入黃山路口兩南小學，防空洞又好，眞是意外的收穫。

開空襲結果，一洞口被炸，另一洞口則中了燃燒彈，以前肇事之隧道，已改良完善，有抽氣機，有電燈，這時血的教訓的結果，此地的人造石洞，眞是偉大，無日無夜在開鑿，在爆炸，新民族就這樣建樹起來，渺小的矮奴，毀滅不了我們的自信心，團結心。

陪都的物價，恐是全國的最高峯，桔子冰水一杯四元，飯每碗一元六角，好皮鞋三四百元，熱水壺六十餘元，包飯一月一百六十餘元，但聞信託局最小職員有四百元津貼，大職員則一二千不等，亦洋洋大觀了。

三十年八月二十日於陪都南岸

二　越南逃難歸來

一　暴風雨前夜

敵人在苦楚的三年戰爭中，學會了乘人之危的把戲，忽然向安南殖民地政府提出斷絕中國人的物資運輸，在無可奈何的環境中，殖民地政府屈服了。

高級人員開始向各地疏散，然而忽接到命令，不許離境，尚有其他任務，於是東移西徙，如喪家之狗。

海防幾個高級人員和家屬，一批批的向香港上海轉送，市面頓然冷靜起來，生命寶貴的他們，遺下華貴的舞廳，和匆匆若有所失的舞女，遺下有山珍海錯的酒樓。一家大酒樓的老闆對我說：「本店裝修和開辦費花了二萬六千元港幣，房子的合同是八年，每月三百元，這個未來的八年歲月之命運，真是使這老闆擔心！無疑的是凶多吉少，何況他還是「吃水尾」的。

我們極力鎮定，像政府發言人似的極力闢謠，但是淺水艦終於來了兩條，成羣的諸色人等擠擁着到碼頭去觀光，當他們死神般看待，好像大難卽將臨頭，敵人的水兵，成羣自由地在市上徉徜，說不定正在預備製造「事件」，武裝的水兵直接到中國人貨倉去視察，隨時都有發生衝突的可能，作爲登陸的藉口。

百餘艘大小艦類，在海南島觀風。

數千噸貨物，幾千輛貨車，點交他人接收，不給收據，然後一車車向河內方面運，說是代中國人疏散，這只能騙騙腦簡單的人民，這些物資他們估計可值二千萬美金，說起國幣來就大有可觀了。

香港上海是近視者心目中的樂土，但我此刻，已看到報上載着，英下院一部份議員，反對香港繼撤退的計劃，又說已有一萬英人婦孺，疏散到澳洲去，五百人則到菲利濱去，這夠使成百萬的庸女庸婆走頭無路了。

窮八打窮算，我們一行四人以冒險的心情，打算從桂西的新公路，返近於淪陷區的東江之梅縣，那裏山水明媚，雞犬不驚，那裏用機關槍打下兩架敵人的轟炸機，後來又在房屋上擲碎一架，前後斷送了陸條性命，聽說此後敵人迷信此方不利，就絕跡不敢來了，從海西飛到韶關一帶的飛機，一定經過我們的鄉村，人們視若無睹地，目送他們來來去去，像這樣的樂土真不易得。

那時法國人，好像鎮定得很，（無論巴黎失陷也好，總退卻也好，絕不見他們有熱烈的遊行，獻金，宣傳等表示，比之我們的民氣，真瞠乎其後，由此看來，他們的失敗不是偶然的）

他們不鎮定又怎麼樣呢？有什麼地方可以去呢？況且政府下令不許法人無故出境，法國人看總退卻，多少總有軍艦武器來防衛自己，至於中國僑民則手無寸鐵，縱開都會，則有被土人殺戮的可能，因前數年海防曾有排華的事件，被殺者三百人，況現在已有事，發縱指使，大有其人，這是中國僑民最恐怖的一件事。

一位同鄉，想挈一個法國太太三個小孩同我們同行，另外一位曾博士，也因屏擋不及，我們只得先走，此刻想想，好在他們不曾來，因路上的苦楚，顛沛，真非洋太太和孱弱的嬰兒，受得了的，非病倒則給她心靈上一個大打擊。

平淡無奇的，走過依然紙醉金迷的河內，綠蔭拱衛的街道，安排着華麗的住宅。正如遠居海外的暴發戶，他的主人一樣不知天高地厚，祖國存亡，於他們沒有關係。他們早已脫離厄境，有金錢，有不動產，不論誰來作主人翁，私有財產總保得住的。服裝千篇一律的盤髻安南少女，好像格外花枝招展似的，在霓紅燈下，蹀躞黑牙的少年，像熱情的歡迎事變的來臨，好作他們上進的好機會。

車於中午到諒山，恰好有大汽車轉高平，安南人是歡喜不義之財的，賣票人要行李錢，要小孩子買票，與他辯論了一會，我說：「我在安南隨你什麼，也得給你。」旁邊一位能懂法文的公務員說：「先生你不要這樣說，我們與中國人還是好朋友，他不是存心敲搾。」

諒山有一隊隊法國兵出動，去掘戰壕，防我呢？防敵呢？連他們自己也恐無把握，總之，看見這些現象，益使人恐怖，覺得愈早離開愈妙。回憶五十四年前，諒山之役，寃枉地送掉這錦綉河山，覺得難受。

二　別矣！黑牙之邦

到高平的公路，眞是層巒疊嶂，因爲他們富有，故沒有一段不是鋪上柏油的。以前聽說這路如何崎嶇，不小心則有粉身碎骨的危險，但若拿來比廣西的東蘭山，比之滇緬路的大山，眞是小巫見大巫，他們路的特別處，是外轉灣，則公路一邊向外傾斜，內轉灣，則向內傾斜，但記得英國，中國的公路，都不是如此，這個是力學的原理，是如何解釋呢？

到了高平，已是精疲力竭，非休息一天將吃不消，又是一個巴黎酒店，晚間聽店人的收音機，精神爲之一振，但聽一位友人說，這條公路現時走不通，卽有車亦不許搭女眷，憲兵查得很嚴格，他是終年在此負運輸責任的人，說話總有斤兩吧！嚇得我六神無主，走昆明或走香港嗎？我情願在此和亂民拚命，這個冒險的措施，第一步就遇到大打擊，還有什麽更失望的呢？

翌日，整天下雨，弄得午飯也難出去吃，那位二十多年的友人，除武斷此路不通外，也不見來看我，躱在洋人酒店裏，擺其××支處副處長的官架子，眞是「有酒有肉多兄弟，急難何曾見一人！」

對面房子，溜出一個中年人，很客氣同我打招呼，我幾乎認不出來，原來是六七年前南京的朋友，他現在任龍州對汛公署的秘書，明天到水口前綫去有要事，他說，新公路可以走，他可寫信介紹，搭廣西貿易處的貨車，他把我們的膽子壯了許多。

從鎮南關府才是中國的邊境，這一段路是用野雞車走的，我們像充軍似的向這荒山野谷亂衝，滿懷是離亂的悲哀。

破壞的一九三十年霹靂龍汽車，如飛機般在山谷中發出怒吼，但幾次「火頭」壞了，絕望的司機，停在路旁等候最後的友車，借新「火頭」，眼看着一輛輛車飛奔前行，眼看着穿紅掛彩的衞人，沿着山路徐行；聯想起在海防認得一個法國軍人，一生的歲月，就在這樣的邊區當巡兵，現在告老了，將積下的儲買幾座洋房出租，過着無妻子無朋友的生活，室內污穢簡陋，不下於中國平民，這樣就斷送了一生，環境移人，豈不可怕。

到從廳府，向法國人簽出口紙，一大羣同胞在等候着，我見一位法國小頭目，很和氣，我戲問他：「你在這樣的小地方做事，不煩悶嗎？」他說「有些」。無怪他操着生硬的安南話，和一位中國女子私語。

這個市場，只有一條小馬路，簡陋得可以，因為數月前，此地變爲交通綫，市面繁榮了一些，物價也漲了，立意在司機身上剝削，我們到時，看見昨天到的人，開始坐着簡陋的馬車，向前出發，他們必須在十一點鐘，到法國海關，去簽字放行，我們在十一點以後才到，所以必須等到明天，始能簽字，這是法國人的德政，但是後來花了五元的運動費，免驗行李證即刻簽好，明晨即可出發岳墟——中國地方。

自從禁運中國物資以後，這一段路因係在中越交界處，就再無汽車的交通，旅客須坐馬車或騎馬，走三十公里的山路，我們本可當日下午動身，但太遲了，恐有被人「謀財害命」之虞，只得投宿邊區的「大酒店」這三家村的往來客寓，使我聯想到此去前途荊棘。

一夜無話，明晨從大酒店出發，雇定二輛馬車，一坐人，一載行李，起初以為坐這種車，一定很有趣，把被褥墊好，預備安穩的坐下，但理想遠離事實，硬鐵輪和石路，使你東歪西倒，六神無主，坐着還好些，躺下來你的心臟好像要給拋出軀殼外，婺君和我，情願步行，只有太太受得了這篩粉機。

沿途檢查出口證數次，終於看見中越交界的路碑，有時怕一羣山賊，突然在眼前出現，幸有一二輛汽車，從中國境開來使人安心不少。

二　重步國門

到了岳墟，聽說龍州已失，水口關告急，因之此地也恐慌起來，政府的貨車趕緊搶着內運，免得資敵，空襲警報也來了。在海外二年，遠離戰爭恐怖的我們，夠慌張了，雖然是下着毛毛雨，我們只得向山脚下躲，以前此地被炸燬軍布幾十捆，現在來不及運的軍布，還堆在草地上，任風吹雨打，這大可惜了。

此刻怎樣向前走真成問題，找一個西南公司的站長，他愛莫能助，不能給車我們搭，反害得我跌進水田裏，像落湯之雞，把一件白色的西裝犧牲在水裏。

僥倖那位朋友介紹的名片，發生了力量，終於得乘貿易處的車至靖西，每人省了四十餘元國幣，這個債財險些被昨夜的司機發去了。靖西比岳墟，更有被敵人來襲的危險，截斷新公路運輸，是敵人夢寐不忘的企圖，所以拚命向龍州水口關進攻，他們欲由此攻入昆明，打入行都，我常比敵人的計劃，無異夸父追日，他們打算追我們到喜馬拉雅山麓嗎？

南寧失陷後，政府即計劃建築此新公路，以資補救，全路多是在石山上建成，還要爬登東關等幾座大山，我以為除滇緬路的工程外，要算這路是最偉大了。全路，只經過三個半月就完成了，可見意志可以克服一切困難，可惜這路又失了効用，這種糜費，恰如湘桂鐵路一樣，又有誰料得到呢？

靖西的主任說，我們的車輛現搶運岳墟的汽油，暫至此為止，將來終能有車直通柳州，現在只好搭僅有一輛的公路局車，其餘的給保安處封去搶運物資了。

二十六圓國幣的車費到平馬去，因前路渺茫，把雪白的鋪蓋送給站員，我將這意思說出來，隨即有幾個旅客，向我索去一個褥子和枕頭，站員故意表示不稀罕這些意外賜與。

形勢顯然嚴重了。幾千幾萬的軍隊，浩浩蕩蕩地蠕動着，沿着這座大山而行，一汽車要走一小時左右，天呀，天黑了，他們怎麼辦？）

時機一到，他們就開入安南去，和敵人拚命，以實現外交上採取的必要自衛宣言。幸得許多搶運的國營汽車，載着一部份士兵往前方，不然，這樣「撈命」的路程，誰也會討厭。

可憐安南的華僑，不久的將來，也許就要受到的夾攻，中、日、法越的戰事，夠使他們磨難了，願上帝保祐他們安全。

平馬是二十六車票的終點，以後怎麼辦呢？誰都無把握，一夥有家眷的人，是無法乘政府運貨車的，也許因為女性會做間諜，男性不會的緣故吧！

四　重嘗轟炸滋味

平馬以前被炸死過二百餘人，斷腿殘肢漂流滿河，婦女死的尤多，因為敵人的本領，炸中躲在河邊的逃警報的平民。

第二日，來了一架飛機，投下一顆小炸彈，使二年來不聽警報的我們，躲在矮林下出汗數小時。

「天無絕人之路」，在車站裏，忽然有一個同鄉，聽見我們說家鄉土話，跑來打招呼，通了姓名之後，很為客氣，他是西南公司田東支處代理監查科長余君，因為形勢緊張，明日將支處搬到東蘭去，答應我們可以坐他的公務車，不受任何人檢査。

兩車人和行李，在淒風苦雨中，越過滿是猺人居住的東蘭大山，愈是危險，車子愈是呼號得有力，在油布下的旅客，受不住悶氣，情願揭開來任風吹雨打，一身透濕，有一個人口中唸着「在家千日好，出門半朝難」的話，誰也來了個同情。

記得二十七年十月廣州淪陷給敵人之後，我們「獨具隻眼」輕易地從梧州走入南寧、龍州而去安南，這樣的路綫，是很少人走的，這次又與人不同，第二次橫貫廣西，不過翹首南寧，五中如焚吧了。

昨日車停在某地過夜，僅有的旅館是出租地板上的蓆，每日大洋六角，不滿三丈多的樓板，擠滿十來個不相識的人，當晚主人就地將六角錢收清，恐怕明早三點鐘，人們逃賬。我戲叫這個旅館爲「廣西半島酒店」。同伴說：「出門神仙老虎狗，什麼也經歷一下，不要當他受苦，以西洋人冒險精神出之，則什麼也覺得有趣。」後來不覺這種觀念，影響了我的心理，果然樂觀許多了。

東蘭是公務車的終點，我們又得絞腦汁去覓往柳州的車子了，非常時期，就有這等困難。東蘭是一個縣城，簡陋得很，因爲適應需要，好些屋子都變成旅館。裏面的設備不提及爲妙，但雙房是國幣四元，飯館的價目，足以叫用桂幣的人，嚇死。他們是專在賺富有的車夫的闊幣的。縱使價貴一倍，他們也吃得，他們全捉鷓鴣，賣老酒，於是財源廣進，從國外入去的，更可以帶私貨，他們的收入眞是可觀，無怪茶亭裏的稀飯，也每碗一角，只有這點看出廣西抗戰時期的緊張，石岩之左，有一塊碑，記載着乾隆什麼年，徭人曾入城屠殺漢人，後來欽差大吏，纔來剿平，現在已相安無事。

這區域的瘴癘之氣，很可怕，土人相信冷水有毒，吃了會大頸子。他們不懂所吃的水或鹽，少了碘質，致甲狀腺腫大，政府應該拯救他們呀！偶然在山上喝了兩口無味的泉水，至今還怕頸子出毛病。

第二天，經監查科的余君，特殊力量，纔能與一個運鐵板赴河池的司機商准，載我們到河池去，條件是津貼三十元，我們無形中做了他的鵓鴿，這司機對我們特別客氣，他沿途對任何人，稍不順他的，則破口大罵，極其粗暴，我批評他將來必有被人打死之一日。

車行不久，抵紅水河，等待過河的車，依次排在兩岸，約有三十餘輛。他們說：「昨天到的還沒有過渡！」我們現在是第二十七，最早也要後天才能過去。在山上露宿二天，好不令人喪膽。

以前過了好幾個渡，都是用笨重的木船來來去去的拖過去，有時一次總花上一個鐘頭，這條運輸綫，是速成的，當然來不及造大工程的橋，但若能用安南境內的鐵索輪，眞迅速得多。

今天特別快，下午就渡了紅水河，中午時敵機來了，大概是到六寨貴陽去，若炸渡頭，則幾十輛車，必不能倖免，夜宿什麼地方忘記了，翌日我們輪流着站在大陽曬着的車上，做防空哨，果然又發現敵機，拚命向山上躲，幾天來太陽把我們曬成黑人，飲食無定時，無選擇，似乎十餘日來，我們的身體也鍛煉好了。七歲的小孩，和弱不勝衣的太太，也跟着我們跑曬餓。這全是敵人的賜與，我們只有牢記，絕無怨言。

因天雨過久，路基又新，有許多地方都傾倒下來，成千成萬的工人在修築，他們住在茅屋裏，粗衣糲食，他們的汗血爲抗戰盡力，我走過時，都對這些銅筋鐵骨的勞工，致無限的欽佩。

全路幾乎十分之七八是鑿石山而成，工程偉大，令人咋舌，聞財政部津貼五百萬元，其餘是廣西建設廳負責，可惜通車不過半年，國際形勢又變了！

將到車河，因爲司機怕憲兵檢查搭客，叫我們車上兩個搭客（教員和學生），從山背下車，要自己挑數十斤的行李，很代他難過，後來憲兵幷未查搭客，只登記運輸的貨物而已。

那天又有警報，聽說炸了四五里外的某處，不久白旗出現，知道是解除了，我們在往河池，這段是老路，平坦得很，沿路樹木高拱，幾可與法國公路比美，不過我未遇廣西公路，鋪過一尺一寸的柏油，我們這樣窮，也可以抗戰三年，富有反不堪一擊，抗戰的歲月愈久，愈顯得中國的偉大。

到了河池，漸覺抗戰空氣的緊張，往貴陽，往柳州的貨車，擠滿車站，都是明晨四時要出發，全無我們搭的機會，民運車幸倘有國民政府特許之中國運輸公司客車，但據倨傲的站長說，今天只有貴陽來了一車，滿載了搭客，明天再看，這夠使我們焦急，河池是交通孔道，轟炸是家常便飯。

無意中找到一架回柳州空貨車，雖人當貨運，但車票照客票一樣付二十一元到柳州，一時間車上擠滿十餘人，車蓬是密封的，有些是從龍州前綫負傷回來的下級軍官。聽說他們的部隊，不久即開入安南而他則調回後方。

車的下層是煤炭，行李七橫八豎，人坐其上，東歪西倒，煤炭沙塵，把人裝成一副怪樣，這樣的狼狽情形，眞不敢去回憶，更糟的，車的水箱又壞了，每一二公里，便要停下來加水，到了懷遠，又是渡河的把戲，警報照例來，嚇得我們好苦，迫得開夜車，到了宜山，車實在不能走了，只好住下來修理，工人與司機夜間不肯開工，還與司機大吵一頓。

明晨五時，就有警報，我們跑到河邊石洞中去躲，第二次跑到野外去躲，果然轟炸九龍岩，幸只落一彈，夠把我們嚇暈了。五點鐘才能開車，至半途來了一隊從戰區逃出來的難民，聽說武鳴來，因公路破壞了，每日行九十里路，小孩子亦得走，有人又傳聞賓陽吃緊，使人不安心起來，可惜我們不是戰士，不然要在前綫打一個痛快。

到了柳州，已是萬家燈火了，熱鬧得駭人，打破所經各地零落狀態，每個旅館都說客滿。

第二天又是警報，我們跟着婦孺老弱，到郊外山洞中去躲，柳州曾遭受猛烈的轟炸，幸那些石洞救濟了不少人，這裏的山洞，眞是偉大，動輒可容百人，惟多是婦孺老弱，有些幹的男子，多不見出來躱，萬一飛機來了，就不堪設想了。山洞裏冷氣襲人，水蒸汽向外飛，眞是避暑的勝地。許多的物資，都藏在洞裏，這使野心的敵人沒有辦法。回想起數次打算撤退放棄的柳州，使人多麼惦念；我們不撓不屈的精神，繼續着貴柳鐵路的工程，下午渡河，乘夜車赴桂林，一洗半月來披星戴月的疲勞，但一看全國各地失去鐵路的車輛，都總匯在此，好像是失地的登記册。

一列列的兵車，向桂南輸送，敵人想早日結束中國戰事，實行南進，偏遇着我們的頑抗，使其騎在虎背上，進退兩難，現在德國巳征服了荷蘭、法國，南進也不是輕易可以實現的事，結果西歐戰事一旦結束了，敵人還空無所獲，那時總崩毀是可能的，況落水狗人人會打，安知兵精糧足的蘇俄，會不會來一個突擊，消滅這世仇呢？抗戰前途，無論遇到什麼困難，始終是樂觀的。

詩

一　無依的靈魂

（一）

錯落如鋸齒形無主宰的冢群，
在朝曦下像吐出喘息的寒霧。
在枝頭顫動的最後的殘葉，
預感到宇宙的不幸，
瞟下最後的一瞬，
信托牠的骸骨給寂寞的仙容。

（二）

赫爾奏在晨鐘敲過後，
口中唸着上帝的祝福詞，
劃上慰安靈魂的十字在胸膛。
惰懶的黎明之光輝，
不斷撫摸這少女的康健之頰，

她的腰肢，充滿青春的潛力。
她的爹娘，將靈魂付托上帝，
吻了愛女的前額，皺上眉頭。
這戰爭的威脅，
沒有滲進天真者的血絡，
無掛礙的口笛搖曳在晴空，
雖然野雀已斂息了歌聲，
但山嶽已佈滿隆隆的回聲，
田野裏有牲畜鄉農在奔竄，
佃戶的茅舍，已化為融融的光花
成羣的襤褸人揮着熱淚，
遺下不能動彈的老親，桑田，
死神的巨掌，野蠻人的大刀，
已在數里外飛舞了。

（三）

霍夫曼牧師，揮着顫動的手，

開始祈禱，詛咒這不人道的侵略，
他神聖的使命，沒有完成，
大神了解他純潔的心靈
該忍痛離開這如玩具的家園，
聖經挾在腋下，他的妻女，
像失了聽智似的
蹣跚在老僕行囊的週遭，
赫爾泰小心扶着老母，
披肩隨風飛舞
刺人皮膚的冷風，告訴她體溫沒有保護，
吹得她如在彷彿的夢境，
沒有呼號，除了猖猖的犬聲，
在遼遠的山腰叢林中，
隨着如潮水奔騰的
沮喪如喪家之狗的
烏合的人羣，朝向金陵。

異國情調

（四）

獻身上帝，是二十年前的時光，
沒有過罪惡的恐怖摧殘，
北國史托荷姆的故鄉，
寧靜得像初夏的柳塘，
兄弟們企望着他們
帶着天賜的光榮回去
美麗的赫爾泰，是驕人的寶物。

（五）

顛簸到秦淮河畔，
已不是昔日酣嬉的首都，
紊亂與荒涼的外貌，
擠進他們的無主的胸懷，
不能自已的老淚，如雨地
濺在少女的捲髮之叢，
聖公會的屋宇，

像被了褻服卸了晚妝，
老僕指手劃脚的訴說，
他們安心地住下，
等待援救的人伸手。
在黯淡的燈光下，
睜着倦眼，他們
計劃怎樣到春申。
少女到教會書院去。
老父說：「你是我半世辛勞慰安，
沒有你的笑臉，
上帝也不會降福這樣孤寂的人。」
赫爾秦天真的淚，無聲落在
撫育她十九年的手心，
如黑夜的無言，
一齊和衣倒睡在寒衾裏。

（六）

朦朧中有急促的敲門聲，
來人喘着氣告訴他們，
這個城圈已被放棄，
千萬的戍兵，將作無情的撤退，
裂耳的軍號，
掩不住啾啾馬鳴，
隱約的野炮聲，威脅着
每一個生物，每一根草木，
老夫婦始而發抖，繼而鎮定，
有上帝在他們跟前。
拉着赫爾泰的手，
大氅以外身無長物，
隨着人的步聲，在黑夜中
奔馳，隨突投至東城根
又折向渡江的大道，
脚踝早已流血，手成了冰塊，

下裳撕破，也沒有反響，
曙光反照出每個人的，
有死的恐怖的臉顏，
兩旁的崇樓高閣，
已成火窟，炙人的熱燄，
隨風施展她的威力，
車輛在人的脚跟上滾，
人獸翻騰，在機械的心臟，
折肱流血，焦頭爛額
不值一顧，數十萬生靈
衝向幾丈寬的城門，
無力的早在人叢壓力中成了死屍，
遲緩的，已在脚下變爲肉醬，
像在掙扎似在推諉，
沒有人能多大的移動，
赫爾泰緊拉着父母的手，

要轉身向和平門，
但是沒有移步的可能，
正在思索，一個人性的畜生，
投了手溜彈在人叢，
炸成一條血肉模糊的巷子，
這懦夫便從容逃出去，
但是不一會加倍的騷動來了，
地獄沒有這樣擠擁的鬼魅，
天呀！赫爾泰已不能再望見父母，
他們散失了，她呼號，
她默禱，但震耳的哭聲，
使她昏暗流汗，
她不由自主被擁至揚子江頭。

（七）

她不辨東西，不再聽見母的呼喚，
紅顏變成蒼白，

默祝大神保祐她們安全，
她像失了 的小牛，
仰天悽愴，沒有一個憐憫的慰問，
如蟻羣的人叢，
在空地上打轉蠕動，
拋棄在地上的嬰孩，
張皇地哭泣呼號，
手中的玩具已沾上淚水污泥，
無盡的人繼續擁來，
落水，跳上小艇大船，
沉沒失足，似水中的飛蟲，
沒有誰顧到誰的生死，
該不是但丁地獄中的竹筏，
赫爾泰一不留神，
已在冰冷的漩渦，寒氣刺了她的腦，
一枝破槳，流到她的眼前，

抓着飄流，多量的吸水
使她失去了知覺……

（八）

英勇的戰士，珍重天仙似的，
睜視着半天不醒的女郎，
用水瓶溫暖病者的脚板，
冰塊去減少她頭上的風熱，
他躑躅彷徨，又喜又懼，
天賜的美人，應是
報酬他保衞國家的忠勇。
一會，她像蟄蟲般昭蘇，
張着飢餓的口欲呼，
但慈和的陌生的面貌，
是她在十餘年在中國稔熟的，
她愛還抗戰的民族任何人，
生命得救是爹娘所禱得來的。

（九）

驍健碩壯的游擊司令薄明東，
在苦戰經年的生活裏：
像深水中掉下石塊，波動波盪，
他要保護這異國的孤雛，
把生命滲進他的生命，
這是他在傳奇書上見到的天仙，
有她的影子，搖幌在腦海，
任何仇寇都夠勇謀去摧毀。
父母的失散，使她悲痛，
人潮的洶湧，怕已傷害了他們，
上帝不會忽視他們半世的忠貞，
十九年那有一天離開過，
異國青年的愛護，
使她再生，她祝福，
這充滿正義的人生，

永遠爲他的祖國而生存。

（十）

他耐心的負着獵槍，
走遍有趣的山野，
要使她忘記痛苦的思親，
要使她眷戀遼廣的山澤，
騎士的機智，仁慈的正直，
使她忽視了大神的照拂，
在窮追野兔的一剎那，
她坐在臨流的石上，
掩面流淚，抽動無力的臂膊，
良善的殺戮，感觸他的無依，
她想念音訊隔絕的雙親，
彷彿有襤褸的消瘦的人形，
闖進她隱痛的心頭，
於是充滿戀熱的軀體，

傾倒在英壯的明東懷裏，
無言的慰藉，
在輕輕的推動，喁喁的蜜語中，
兩顆亂世心靈的節拍，
和嗚咽的流水共鳴在荒野。

（十一）

在隱約的田野，卜卜的槍聲中
一雙銅筋鐵骨的弟兄，
在簡陋的草蓬下，
完成這異國鴛鴦的婚禮，
赫爾泰將無瑕的愛，
交給這衛國的武士，
這個國土變成她的故邦，
明東能愛護她至海枯石爛。
甜美的歲月在上帝眼底消受。

（十二）

蔚藍的疏星天幕之下，
一雙并肩的黑影，
在談論未來的幸福，
北國的故邦，沒有過她的足跡，
她憧憬那平原上的羊羣、
如練的瀑布之錚淙，
她只在圖畫中玩賞，
冰島的習習之風，
吹散白髮牧人的大氅，
他們計劃五年後同遊那裏的湖沼。
上帝的啓示，終久使他們實現，
無信仰的明東，也劃着十字在夜神視綫之下。
他的靈魂得了依托了。

（十三）

倭奴的春季攻勢，
使我們的東戰場激起怒潮，

每個山頭伏着幾千的死屍，
旋得旋失，數不清鮮血的湖沼，
失了戰鬪力的俘虜，
在跪地求饒的當兒，
給刺刀穿了胸，
獨個兒拉着機槍向前衝，
啾啾的彈顆的哀鳴，
把劉營長的眼眶穿了洞，
毀滅的砲聲從早到晚，
千萬的山嶽崩陷到深谷，
無情的輕騎隊，
把壯士踐進泥潭，
四野的喊殺聲，
遮不斷傷者絕望的哀吟，
天空掉下巨雷似的殺傷彈，
撕毀活躍在戰壕的血肉，

受了致命傷的勇士，
開放了手溜彈在腋下，
結束他長期奮戰的史詩。
赫爾泰的棕黃的戎裝，
擁上塵土，透濕了恐怖的汗汁，
她沒有目睹死亡的勇氣，
上帝與她同在，教她忘掉思親的流離，
她伏在戰壕，巴巴望着
明東東指西劃掙扎，
第二防線吃緊了，
她不願先退到安全地。
她的愛可以增加指揮的膽識。
敵人的兇勢已減低，
炮聲也疎落得像是退卻，
明東站上小丘，命令向前衝殺，
天呀！一顆殘酷的鋼彈，

穿進他的腰間，截斷小腸，
如泉的鮮血，噴射在盈尺的塵土，
仰臥在赫爾泰懷中的英雄，
再無力說出最後一語，
靜看她老流熱淚，
她在絕望中，昏倒在主的監視里。

（十四）

在野戰病院空室中，
她沮喪地哭泣悲傷，
於她是地獄，天地從此無光，
她不相信上帝會如此播弄，
無勇氣回憶明東的最後一願，
渺茫的來日，她不知怎樣去安排，
高度的風熱，使她像狂人般呼號，
她夢見父母仰臥在血泊中，
頭顱棲滿蛆蟲，

土色的臟腑徜徉在肢體外，
手中執着那頸項常掛的聖母。
驚悸使她醒覺，
但明東蠟黃的面孔，又在她眼前，
微張的口似在呼她的名兒。

（十五）

半個月病魔的摧殘，
給她消瘦的手足，
孱弱的心靈，不敢正視來日，
她欲逃避現實，毀滅這個生命，
但重見爹娘的慾望，
安靜她如焚的心絃。
無靜止的祈禱，未得上帝的啓示，
但渺茫的前程，大神將指點之。
一個晴明的清晨，
赫爾泰在夢中驚醒，

似狂瀾洶湧似騷動成羣，
知是兇殘的敵人，
在高空擇肥而噬，
人們逃避到土穴山巖，
她既無較量生死的心情，
諦聽着哦哦的威脅之音，
如充滿詩意遼遠的潮海，
俄而霹靂一聲，
在幾丈的平台外，
戳片奪去她豐滿的右臂，
暈迷減少她的苦痛，
模糊的血肉的遭難者，
也不曾使她悲傷增益！

（十六）

她孱弱的純潔的愛人類的赤心，
從此增恨魔鬼增恨天主，

機智的邏輯告訴她，
受了十九年的欺蒙，
她的靈魂自由了，
她詛咒人生，她沒有可摸捉的生趣。

（十七）

她厭倦人間的紛擾，
鄙視了天國的神奇，
戰場上流血的撕殺，
無數萬海底和地面的寃魂，
使她如大夢初醒地揚棄現世。
她正想拋開有血腥的日報，
魔鬼指出她父母的名字在眼前，
她不相信上帝終使他的信徒，
悽慘地死在霹靂布海裡，
這個殘酷的安排，
使她天眞的心成了化石，

她知覺麻木成了瘋癡，
春光明媚的太陽下，
再不見她豐滿的紅顏。

（十八）

黃山白鶴觀的行廊下，
古柏的濃蔭，
仰臥着正視天空的赫爾去。
一個蒼髮的老僧，
手持唸珠呢喃着，
只有樹梢的白頭翁，
監視着這永遠的沉寂。

二 春的瞬息

鏽鐵色的雲層給藍黛的天空
以憎嫉的眼色，
淹沒在無邊的天際，搖曳出
無數層的，成羣的關山，
紫的，赭的，棕色，蔚藍，粉綠，
傷感的青春之眼怕張望，
如絮的歎心，無能正視，
隱藏了二十年的遺憾，
幾世紀遺傳下直覺的悲傷
娓娓的矮林之羣，
接受了朝露的撫慰，
換上新裝，在松針柳條的
覷視疏忽，

舒展了自倨的情緒，
生與死之間僅餘一髮之間的衰草，
換上新的血輪，踏實脚跟，
重見可愛的欺人的宇宙。
鄙視已枯的枝葉，
以傲漫脆弱的新萌小葉，
吻上春光的第一個呼吸，
冬眠在安全的地層下的
振翅，爬行，跳躍，躑躅，欠伸，顚撲的小生命，
拍着胸膛，振刷衣襟，
撥着提琴，潄乾嗓子，
喜躍地小試歌喉，
發出音浪，傳進睡起無情思的
適齡窈窕的浣衣小妮子心頭。
一陣陣嘻笑，歡歌，
一束束鮮豔顏色，

搖幌在溪邊柳梢輕舟之舷，
辨不出雌雄音，
窺笑的動機，揮手撫摸的秩序，
天地變了有生命，
地層增加溫熱，
身兒輕輕的，心兒飄飄的，
無言的悲哀的人羣的衫裙上，
在瓦面的雀噪中在流水嗚咽的石下。

三 輕騎隊的死

整個岡巒，丘陵，田疇，
像犯了痲疥，喘着斷續的氣息，
樹兒冒出已禿的腦袋，
向天空張出鬼魅的爪，
原上草，灼成焦黑，
巖石破了胸膛，洞了腰肢，
懸崖從天空下陷五百尺，
阻斷了溪流，惡味的血腥，
從浮腫的肢體本位飄出。
拍拍的翩躚，開始散佈，
在遼遠的山坳，叢林的曲徑，
是殘疾者的喘息，浮動在駭人的空間，
一陣螞蟻的工兵似的，遨遊的騎隊，

陰險地搜索一切動象，
無憐憫的射擊觳觫的牧童，
得意的獰笑，在每個黎黑的面龐，
永遠如鷹隼的張望伺候，
再沒有可殺戮的生物，對着死寂發愁！
饑而隊形斜着走在左邊的小徑，
決鬪似的，密談似的，
只是一簇灰，只是一團黑，
戰馬無悔的躺下，已穿蟻穴的軀體，
失了足，斷着頭，不見馳騁的美態，
沒有發抗的鬃鬣，
嘯風而嘶的英鳴，
消失在鳥飛不下，獸挺亡奪的廣漠，
擴大的死寂，孕育着突變的發生。
直趨可疑的神廟，

得得的蹄聲，倒影在微白的水田，
愈跑愈緊的步伐，震動着無依的山谷，
緊張的氛圍，像要窒死有機物的，
駿馬張着鼻孔，
噴出如霧的氣燄，塵埃飛上眉梢，
槍在臂中欲跳，刀在鞘中長鳴，
受傷野獸似的無比的勇往！
在向矮牆衝擊。

沒有一分的遊離，
一陣霹靂的巨響，
震陷山嶽的怒吼！
演出人馬翻騰，
血肉濺染黃土，
武士僅存的臂膊，
撐着小旂向天無語。

四　人道的毀滅

天空的雲翳隨着低氣壓銷散，
朝陽漸次褪了橙黃的脂粉，
穿上碧藍的大氅，裝上輕紗，
從間溫層的玉宇深處，
嫣然的向着大地。
殘疾者對着紫外光發楞，
草木預感不幸的毀滅。

一陣警鐘，連續的呼號，
是魔手的影兒，直貫赤心的利刀，
狹窄的家屋，變了鬼魅吐舌張牙，
頹廢的矮牆已是不可迴避的妖靈，

投向荒郊鑽進土窟，
往北漠的囚徒？
企圖突圍的俘虜！
張皇的土色之顏，照入江心
羞赧了水草中的細鱗

停止了橋下的嗚咽之音，
奔走駭汗，吶喊，衝擴，
佈列在平岡，山溪，矮林，
微弱的蜂鳴，蝶舞之音，

倏成機械的狂呼怒吼，
紅顏變成土色，垂髫已是怒髮，
是草原鶺鴒，滂渚的雨棲，
藏得沒有影兒
臍下死寂的溪澗丘陵，

震着耳膜，激盪心潮，
秋鷹似的銀鍍的影兒
劃破大空，像飛蛾的美麗，
但城圈已散布下天崩地裂的雷霆，
冲天的火舌，冒出百丈千丈的黑烟，
地面太陽形的陷空旁，
陳列着微溫的鮮肉，
蜷曲的手足抓着已焚的破衣，
裂眦已太遲，
張目已不能正視讎仇遠去。

嬰孩的頭顱，摔進溝渠，
斑白者的肝腑混入沙泥，

斷磚上一塊飛來的皮膜，
融融下墜的棟樑漬濕的血潮，

臘色的腿，半節的腕骨，
糾纏在危牆的週遭。

憑弔者漸次集中，
口中嘆出噓嘘的哀音，
撫慰着自己可貴的肢體，
擡拳仰望長天，訴不出憤氣。

五　郊行

微溫的晨熹，歌唱出
如流浪的輕快之清風，
掠過、撫摸，一半兒揖別；
嬌稚的新枝，
呈着有生氣的反照，
睥睨下墜的飄然的竹葉，
春光已隱現老邁之婉爾；
耕牛尤怨地，
扒下水田的足印，如凌亂之音譜，
引出狡獪的蜥蜴，
彈着腿上的纖毫；
沒有管領的郊原，
插空的竹叢，灣着有力的頸子，
私語給濃下的赤足牧童，

六　海底側影

漆黑的王國，沒有
些微洋面的蔚藍，
燐光，波濤，
不知名的介甲，蟠踞在
珊瑚暗礁鋒利的岩石
不易見到苔蘚
游優地伸展吐放色澤，
充滿超人間美麗的姿態。

潛行在四百尺深渡以上的怪物
英武的往來，發着悶人的聲音
像攫人而噬的猙獰
衝破神奇世界的沉寂。

二十里的泥層，傴臥着
幾世紀前海盜的軀殼，
喪失亮光的珍寶箱，
跣腳首領的骨骼旁的拐杖，
水手的屍體整齊地嘆息，
無可告訴的遺恨
滅在蠻野的英勇裏。
深水的鯨嚙，印下
拿破崙，阿力山大，和十字軍的影子，
擺倫沒有葬身魚腹，
在黑暗的潮汐中完成世界的預言，
地中海，波斯灣，席爾布港，
讓害艦隊集體的躺下，
如蟻的勇士，株守在遺瀆，
再不聽見怨艾，狂呼，叫囂，
深水的壓力，供每個肢體歪曲，扁平。

無腐臭無光澤的影子，
不斷的油膩水泡在動盪，
在洋面跳躍，躑躅，游離，
似池中投下石塊，
似螃蟹沒水避敵，
暖流沖過洋面回復了靜寂。

七　生之謎

生命就是悲劇的試演，
沒有選擇的自由
便遽爾投生，
有了缺憾纔有眞善美的希求，
從平凡中顯出偉大莊嚴。

「完全」是自欺暗影，
沒有創痛顯不出康健之可愛
不見明月那覺黑夜之可怖，
一個遺憾是眷戀生命之樞紐。
失敗是名利波濤中一剎那浮光
成功不過是意慾的陷穽，
浮雲在天際放彩飄忽
以太的變幻幾曾使宇宙關心。

八　無題

青蛙唱出樂觀者
窮瘠而蕭瑟之思慮，
沒有憑托，張手
向着無饜的浮雲，
欲寄語鷓鴣之羣，
追尋野鶴不佇立之溪澗
可有畫年失去旖旎之孺慕。——

齊鳴獨奏，生物活躍在地底，
於荒烟蔓草之金宮，
按不住已顫動之餘絃，
飛沖向酣戰武士之盾踪，
蟲該歇止，睨視
可能經過腐蝕之傷痕。

九　可憐的青年

他祖父也曾營造華廈，
但不到三年他離開人間，
父親客死異地，
遺下無恆業的家，
不能榮繫他年青的娘！
他於是孤零地
茁壯在殘酷的鄉野，
賤役苦工掙出米粒來！
但長得更堅實雄偉，
簡單的思維，
天真無畏的衝動，
吸引他拋進行伍奔流裏。

衝鋒白刃使他變成忍心，
鑿穿敵人的胸膛
教他發生得意的獰笑，
像是報復了人間的罪惡。
還玩意兒，他記下了數目，
他曾自豪，并不反悔，
他從不帶花，還常使他自誇，
沒有鄉思，沒有牽掛，
他的生命註定死在荒野。

殘酷的蕃頁島人，
把他綁着倒掛在樹下，
整整兩夜，沒有半點傷痕，
沒有一滴血！
他完成爲祖國的任務，
結束人類對他的鄙夷。

十 有感

死不瞑目的土墳內，
有陰靈吁噓的嘆聲，
發出像荒谷化石層中
蛩龍屍體的氣息。

駕鶴西歸的光榮，
抵不過一生手足胼胝的血汗，
成行的後裔，
裝出如雷鳴的笑聲，
彷彿隱藏著自悲的獨幕劇。
昨日呢喃吩咐遺囑的病者，
已是蠟色的不可嚮爾的遺體。

覆上黃土，拓清不祥的氣運，
是酷熱中的親屬的期望。

十一　悼

閒散的懷愴排闥闖進，
每個漫掩護的心扉之低，
惜死如鉛塊的情緒，無勇地
鎖住陰雨裏新茁的柳芽。

該不是犧牲在痌疾之年，
生的精力，未鍊成無敵的鋼刃，
罪惡之火熱的眼，
正圍繞眞理之祭壇而狂笑。

鐵的意志，摧毀了脆弱的心靈，
嚴肅的典型，無畏的堅忍，
已組成新社會的一環，
給人振奮像海天無垠。

十二　蘇俄之歌

蘇維埃之聯邦兮，
爲萬民之所親愛，
和平與進步之希望之所由兮，
舉世無其儔匹。
吾人能高視闊步而自由兮，
從莫斯科以迄邊疆絕域，
亘冰海與沙馬項之平原兮，
人皆可傲然獨立如主人翁之在祖國。
隨處可自由無拘而生活兮，
如伏爾加宏大之奔流，
廣開大門與諸青年兮，
吾人之老者率光榮以歸休。
今菓實纍纍之農田兮，

皆爲昔日荊棘之荒蕪，
可驕人之名詞爲同志兮，
吾人以之摧毀一切阻撓。
更使蘇聯成爲強盛兮，
萬民皆得光榮與自主，
俄族，猶太，韃韃比肩同建豐富之新生活兮，
吾人席上歡迎任何賓客。
史丹林憲法光耀吾人兮，
時間將產生其偉蹟，
充滿雄壯與光榮之字句兮，
實爲人類未有之篇頁，
所有蘇維埃之公民兮，
將永享研讀與休息之權益，
如仇讎試行毀滅離間吾親愛之邦國兮，
吾人將用如閃電雷霆之報答。

三十年冬，小住韶關，偶於華報中，見此英文歌，甚覺可愛，將其戲譯成文言，從未

示人，頗覺棄之可惜，姑附刊於此，惟絕不帶代人宣揚之意義也。

三十一年四月誌於重慶

中華民國三十一年十二月重慶初版
中華民國三十五年三月上海初版

異國情調　一冊

(86697 滬報紙)

定價國幣貳元
印刷地點外另加運費

著作者　李金髮

發行人　王雲五
重慶白象街

印刷所　商務印書館印刷廠

發行所　商務印書館
各埠